Napoleon Hill

VOCÊ PODE
REALIZAR
SEUS PRÓPRIOS
MILAGRES

CITADEL
Grupo Editorial

Título original: *You can work your own miracles*
Copyright © 1971 by *The Napoleon Hill Foundation*
1ª edição em português: 2017
Direitos reservados desta edição: CDG Edições e Publicações

Autor:
Napoleon Hill

Tradução e preparação de texto:
Lúcia Brito

Coordenação editorial:
Pâmela Siqueira

Criação e diagramação:
Dharana Rivas

DADOS INTERNACIONAIS DE CATALOGAÇÃO NA PUBLICAÇÃO (CIP)

H647e Hill, Napoleon
Você pode realizar seus próprios milagres / Napoleon Hill. – Porto Alegre : CDG, 2017.
176 p.

ISBN: 978-85-68014-46-2

1. Motivação. 2. Autorrealização. 3. Sucesso pessoal 4. Autoajuda 5. Psicologia aplicada. I. Título.

CDD - 131.3

O conteúdo desta obra é de total responsabilidade do autor e não reflete necessariamente a opinião da editora.

Produção editorial e distribuição:

contato@citadeleditora.com.br
www.citadeleditora.com.br

autor de mais de 120 milhões de cópias vendidas no mundo segundo a Fundação Napoleon Hill.

PREFÁCIO

Este livro merece um prefácio curto para que você comece a ler logo as páginas que seguem, pois elas contêm um segredo que vai alterar a sua vida.

Albert Einstein disse certa vez: "Existem duas maneiras de ver a vida. Uma é pensar que não existem milagres. A outra é que tudo é um milagre!".

Em 2018 faz 40 anos que conheci a obra de Napoleon Hill. Eu tinha 14 anos na época. Operou-se um verdadeiro milagre em minha vida. Graças à obra de Hill, fiz um planejamento estratégico orientado para resultados, baseado nas dezessete leis do sucesso, e me mantive fiel a esse planejamento ao longo das décadas seguintes. Saí da condição de engraxate — de modo que se pode dizer que era bem familiarizado com a pobreza desde cedo — na rodoviária de Balneário Camboriú, Santa Catarina, à de professor de grandes universidades, palestrante reconhecido na Europa, em países como Portugal, Itália, Espanha e Irlanda, e também nos Estados Unidos, inclusive como ouvidor convidado na ONU. Isso só foi possível após conhecer o livro *A lei do triunfo*, agora relançado no Brasil como *O manuscrito original — As leis do triunfo e do sucesso de Napoleon Hill*. Desde então tenho me dedicado a estudar e divulgar essa maravilhosa filosofia.

Fé aplicada

Como cristão convicto e de família pertencente a uma casa de oração muito conservadora, eu tinha um medo secreto de que, ao me aprofundar no desenvolvimento pessoal, me afastasse de Deus. Isso inclusive era falado dentro de minha casa e na igreja que eu frequentava, sempre com um certo tom de perigo, por minha mãe e pelos pastores. Mas, ao continuar a leitura da obra de Hill, encontrei a fé aplicada como ferramenta de liderança e de resultados. Isso foi libertador! Deixei de ser um jovem inseguro para me transformar em uma pessoa confiante no futuro.

Napoleon Hill não só apresentou esta ferramenta, como sempre deixou claro que ele era um evangelizador da realização pessoal. Isso me libertou das amarras estreitas de que a fé tem tamanho e limites. Como limitar a fé, se a Bíblia já nos ensina que a fé é do tamanho do nosso alcance? Tornei-me um evangelista da realização pessoal por influência de Hill.

Física quântica

Em *Você pode realizar seus próprios milagres*, Napoleon Hill dá continuidade à sua monumental pesquisa sobre o que faz as pessoas bem-sucedidas terem resultados acima da média. Ele devotou a vida a entender o que as pessoas de resultados têm em comum. E nos brinda neste livro com a magnífica ferramenta que é a fé aplicada, em conjunto com os outros princípios, e nos mostra que, sim, podemos realizar milagres em nossa vida.

Não seria exagero dizer que Hill foi um precursor da física quântica. Afinal, a tese central da física quântica é que o olhar do observador altera a realidade. Um versículo bíblico afirma que fé é enxergar aquilo que não existe. Ou seja, alterar a realidade. Napoleon Hill mostrou os atalhos de como acionar o invisível e materializar nossos sonhos, alterando nossa realidade para melhor.

Um homem que atravessa os séculos

Napoleon Hill nasceu no final do século 19 e morreu na segunda metade do século 20, em 1970, aos 87 anos de idade. Continua hoje, quase cinquenta anos depois de sua morte, tão jovem quanto um autor em plena força e vigor da criatividade. *Você pode realizar seus próprios milagres* oferece mais evidências da solidez de sua tese central — o êxito pode ser aprendido, assim como química, física ou matemática. Mediante o aprendizado, o êxito vai se manifestar, da mesma maneira que, se souber as combinações dos números e girar na sequência correta, você vai abrir um cofre, independentemente de ser negro, branco, protestante, católico ou agnóstico, ou de sua profissão. Neste livro, Napoleon Hill demonstra que o que falou durante mais de sessenta anos havia se materializado na vida dele e na vida de milhões de pessoas ao redor do mundo.

Siga em frente, leia atentamente, faça este livro fazer parte de você, estude como se o autor estivesse a seu lado e descubra o grande segredo que será o ponto de virada em sua vida.

Jamil Albuquerque
Representante da Fundação Napoleon Hill para
a língua portuguesa e presidente do MasterMind

SUMÁRIO

PRÓLOGO » 9

1. TODOS PODEM OPERAR "MILAGRES" » 15

2. UMA VISITA AO VALE DOS MILAGRES DA VIDA » 29

3. A LEI DO CRESCIMENTO PELA MUDANÇA » 39

4. NOSSOS GUIAS INVISÍVEIS » 51

5. A LINGUAGEM UNIVERSAL DA DOR » 65

6. CRESCIMENTO PELO ESFORÇO » 81

7. O DOMÍNIO DA POBREZA » 89

8. O FRACASSO PODE SER UMA BÊNÇÃO » 105

9. TRISTEZA: O CAMINHO PARA A ALMA » 117

10. O OBJETIVO DEFINIDO DA NATUREZA » 127

11. O MINUCIOSO SISTEMA DE CONTABILIDADE DA NATUREZA » 133

12. TEMPO: A CURA UNIVERSAL DA NATUREZA PARA TODOS OS MALES » 139

13. O ESTILO DE VIDA AMERICANO LIBERTA OS HOMENS » 145

14. A SABEDORIA ROUBA O AGUILHÃO DA MORTE » 149

15. O PODER ILIMITADO DA MENTE » 153

PRÓLOGO

Cada adversidade, cada circunstância desagradável, cada fracasso e cada dor física carrega consigo a semente de benefício equivalente. "Compensação", o grande ensaio de Ralph Waldo Emerson, confirma essa verdade com detalhes elaborados, e eu acabo de passar por uma experiência que não apenas confirma isso, como proporcionou os meios pelos quais posso ajudar milhões de pessoas a converter dor física em um interlúdio construtivo de grande benefício para elas.

Estava sentado na cadeira do dentista em Los Angeles, Califórnia, aguardando a extração de meus últimos nove dentes para colocar dentaduras temporárias. Meu dentista havia anestesiado o maxilar inferior e superior e estava esperando, creio eu, que o anestésico fizesse efeito. A cada minuto ele inseria um instrumento em minha boca e parecia examinar as gengivas. Depois disso repetir-se por um tempo, perguntei: "Doutor, você não está pronto para arrancar os dentes?".

Com um olhar perplexo, ele respondeu: "O que você quer dizer com essa pergunta? Só falta arrancar três. Estão ali, na mesa à sua frente".

Olhei, e efetivamente seis dentes haviam sido extraídos sem meu conhecimento de que a operação estava em curso. Daí seguiu-se uma conversa entre eu e meu dentista, que me rendeu a "semente de um benefício equivalente" como compensação pela cirurgia dentária que eu havia passado. Pode igualmente beneficiar milhões de pessoas que lerem minha história e tirarem vantagem da lição que ela proporciona quando forem ao dentista. A "semente" consistiu no plano e objetivo deste livro, inspirados por aquela conversa.

Extraídos os três últimos dentes, meu dentista inquiriu: "Onde você estava enquanto eu arrancava seis de seus dentes?".

"Na estação de rádio KFWB", respondi, "ensaiando meu programa do próximo domingo".

"Bem", exclamou meu dentista, "pratico odontologia há trinta anos, mas nunca antes um paciente sentou na minha cadeira e teve os dentes extraídos sem saber. Como é que você conseguiu isso?".

"Foi muito fácil", respondi. "Condicionei minha mente para essa operação antes de você começá-la. Parte desse condicionamento consistiu em minha completa dissociação, concentrando minha mente em algo agradável e bem distante da operação em si."

"Caramba, homem!", replicou o dentista. "Se você soubesse como ensinar os outros a condicionar a mente para o tratamento dentário, de modo a tirar o medo, e publicasse a fórmula em um livro, os dentistas deste país ajudariam a vender milhões de cópias em um ano."

Antes de sair do dentista naquele dia, eu havia planejado este livro e esboçado todo o método pelo qual converti o medo de ir ao dentista em um magnífico interlúdio que pode oferecer a milhões de pessoas a fórmula para o domínio da dor física.

Uma estranha característica dessa fórmula é que se baseia no mesmo método pelo qual ajudei milhões de pessoas a condicionar a mente para a prosperidade material. A fórmula está há mais de cinquenta anos em elaboração. Teve início quando Andrew Carnegie me incumbiu de organizar a primeira filosofia prática de realização pessoal do mundo, e o aprimoramento veio das experiências de mais de quinhentas pessoas entre as mais bem-sucedidas dos Estados Unidos, que colaboraram comigo no aperfeiçoamento da filosofia.

Antes que possa entregar a fórmula será necessário ajudar o leitor a condicionar a mente para recebê-la. Assim como se deve dominar a matemática elementar antes de se entrar na matemática avançada, deve-se adquirir o conhecimento do condicionamento mental passo a passo, estudando os temas importantes relacionados a esse conhecimento, conforme apresentado nos capítulos a seguir.

Acompanhando-me com paciência e cuidado pelas páginas deste livro, você pode encontrar um novo mundo de riquezas que não sabia possuir. Descreverei em linguagem simples, que qualquer um pode entender, a fórmula que me ajudou a converter uma cirurgia dentária em um interlúdio magnífico inteiramente livre de dor.

Mas isso é só o começo!

O sistema de condicionamento mental que revelarei neste livro ajudará no domínio de muitas circunstâncias indesejáveis da vida, tais como dor física, tristeza, medo e desespero. Também vai preparar a pessoa para adquirir as coisas desejadas, tais como paz mental, autoentendimento, prosperidade financeira e harmonia em todas as relações humanas.

Este volume é de longe o mais revelador, em termos de total franqueza, de muitos assuntos que deixei de fora de meus livros anteriores, pois desejei apresentá-los sob os auspícios de dentistas e médicos cujos pacientes mais necessitam da informação transmitida.

Em meus livros anteriores mostrei como fazer um emprego, profissão ou negócio ter retorno lucrativo, e calcula-se que aquelas obras ajudaram milhões de pessoas a se tornar financeiramente prósperas. Nesta obra, meu objetivo é ajudar as pessoas a fazerem a vida dar retorno nos termos por elas escolhidos mediante um sistema de autodisciplina que possui a espantosa vantagem de estar sujeito ao teste da eficácia por todo leitor.

Por fim, escrevi este livro para pessoas que têm problemas pessoais que não resolveram e circunstâncias desagradáveis que precisam dominar, na esperança de que seja de grande benefício para todos que o lerem e que renda crédito a meus amigos médicos e dentistas, que podem recomendá-lo a seus pacientes.

De início planejei escrever um livro que apenas ajudasse as pessoas a condicionar a mente para tratamento dentário ou cirurgia, mas, ao começar a esboçar o esqueleto dos conteúdos, antevi um objetivo muito maior que o original — objetivo que daria ao leitor o pleno benefício de mais de quarenta anos de pesquisa sobre as causas de sucesso e fracasso, felicidade e desgraça, o importante conhecimento que acumulei enquanto organizava a Ciência do Sucesso, que hoje aparece sob muitos títulos diferentes, com um séquito de leitores pela maior parte do mundo.

Nos capítulos a seguir apresentarei alguns dos grandes milagres da vida pelos quais meus leitores podem descobrir e se apropriar das 12 grandes riquezas descritas em um capítulo subsequente. Também revelarei os meios pelos quais medo, pobreza, tristeza, fracasso e dor física podem ser transmutados em forças inspiradoras de grande benefício.

Leia os capítulos a seguir com mente aberta e lhe será revelado o maior de todos os milagres — um que não posso descrever porque só é conhecido por você e está inteiramente sob o seu controle! Este milagre contém uma senha capaz de libertá-lo e ajudá-lo a se apropriar de todas as 12 grandes riquezas da vida. Pode lhe trazer paz mental e proporcionar uma vida equilibrada, consistindo em todas as circunstâncias e todas as coisas materiais de que necessite ou deseje.

Neste livro, dou a você, por meio da descrição dos milagres, metade da senha, mas a outra metade está em sua posse e deve ser somada à metade que forneço. Ao ler os capítulos, a metade em sua posse lhe será revelada. E, quando a reconhecer, apropriar-se dela e começar a transmutá-la em uma vida plena criada por você mesmo, você entenderá que este livro deu-lhe algo muito mais importante do que um meio de eliminar o medo da dor física relacionada a tratamento dentário ou cirurgia.

E assim, tendo se tornado mestre de poucas coisas simples, você se tornará mestre também de coisas ainda maiores.

— NAPOLEON HILL

Capítulo 1

TODO MUNDO PODE OPERAR "MILAGRES"

Um futuro pai andava para cima e para baixo no corredor em frente à sala de cirurgia do hospital, esperando para saber se era menino ou menina.

A porta abriu-se, duas enfermeiras saíram e passaram pelo futuro pai sem olhar na direção dele. O médico então veio até a porta, hesitou por um momento e gesticulou para o pai impaciente entrar.

"Antes que você entre", começou o médico, "devo prepará-lo para um choque. É um menino e nasceu sem orelhas. Não tem o menor sinal de orelhas e é claro que será surdo a vida toda".

"Ele pode ter nascido sem orelhas", exclamou o pai, "mas não passará a vida surdo!".

"Não fique agitado", retrucou o médico. "Você pode muito bem preparar-se para aceitar as condições como elas são, não como gostaria que fossem. A ciência médica tem conhecimento de outros casos como o do seu filho, mas nenhuma criança nascida com essa condição jamais conseguiu ouvir."

"Doutor, tenho grande respeito por sua habilidade como médico, mas também sou doutor em certo sentido, pois descobri um remédio poderoso, adequado às necessidades humanas em praticamente todas as circunstâncias. O primeiro passo a ser dado ao se aplicar esse remédio é se recusar a aceitar qualquer circunstância que não se deseje como inevitável, e estou notificando-o, aqui e agora, que jamais aceitarei a deformidade de meu filho como algo que não possa ser corrigido".

O médico não retrucou, mas seu olhar de espanto dizia claramente: "Pobre camarada, lamento, mas você descobrirá que existem algumas circunstâncias na vida que se é forçado a aceitar". Ele pegou o pai pelo braço e conduziu à sala onde mãe e filho aguardavam, afastou a cortina e ficou em silêncio enquanto o pai olhava o que o médico sinceramente acreditava ser uma daquelas "circunstâncias da vida que se é forçado a aceitar".

O tempo passou rápido. Vinte e cindo anos depois, outro médico sai sorridente de seu laboratório com alguns raios X em mãos. "Miraculoso", exclama. "Fiz raios X da cabeça desse rapaz de todos os ângulos possíveis e não vejo evidência de que possua nenhum tipo de aparelho auditivo. Todavia, meus testes mostram que ele possui 65% da capacidade auditiva normal."

O médico era um famoso especialista em ouvido de Nova York, e os raios X que tinha em mãos eram da cabeça do rapaz que sem dúvida teria passado a vida surdo não fosse a intervenção do pai que se recusou a aceitar a condição e fez algo para a natureza corrigi-la.

Posso atestar a veracidade dessas afirmações porque sou o pai que se recusou a aceitar como incurável até mesmo uma aflição tão grande quanto nascer sem orelhas.

Durante quase nove anos dediquei grande parte de meu tempo à aplicação de um poder que por fim recuperou 65% da capacidade auditiva normal de meu filho. Foi o suficiente para permitir que ele passasse pelo ensino fundamental, médio e pela faculdade com notas equivalentes às dos melhores alunos. E foi o suficiente para ele se ajustar, de modo a viver normalmente, sem as inconveniências ou embaraços que a maioria das pessoas surdas sofrem.

Como esse "milagre" foi operado?

Quem ou o que operou o milagre e o que aconteceu dentro da cabeça da criança nascida sem orelhas que lhe permitiu desenvolver capacidade auditiva suficiente para levar a vida de forma satisfatória?

As mesmas perguntas foram apresentadas ao especialista em ouvido. Aqui está a resposta dele: "Sem dúvida, as diretrizes psicológicas dadas pelo pai à mente subconsciente do filho influenciaram a natureza a improvisar algum tipo de sistema nervoso que conectou o cérebro com as paredes externas do crânio e permitiu ao menino ouvir por intermédio do que é conhecido como condução óssea".

Espera-se que, concluída a leitura desta obra, a exata natureza do "milagre" que salvou uma criança de passar a vida como uma pessoa surda seja revelada ao leitor. Esse é o objetivo principal deste livro.

O autor foi auxiliado por este "milagre" desde que tomou consciência dele pela primeira vez, quando era bem jovem. O "milagre" ajudou-o a dominar o medo, a superstição, a ignorância e a pobreza, os quatro inimigos da humanidade aos quais muita gente rende-se sem lutar porque não entende como aplicar o "milagre", recusando-se a aceitar da vida aquilo que não quer.

A natureza exata do "milagre" é algo que uma pessoa não pode descrever para outra até que esta esteja mentalmente condicionada a recebê-la. Por isso pode ser necessário que o leitor leia e analise todos os capítulos subsequentes deste livro antes de estar condicionado para receber o pleno significado do "milagre".

Algumas pistas bem nítidas foram descritas neste capítulo, mas podem não ser suficientes para revelar o segredo supremo pelo qual pode-se rejeitar com êxito aquilo que não se deseja da vida.

Esse segredo é digno de pesquisa séria, pois é a chave mestra que destrancará as portas de múltiplas bênçãos para todos que a possuírem, inclusive o domínio do pavor de cirurgias dentárias e médicas.

A atitude mental com que você ler este livro determinará em larga medida o momento e parte do livro onde o segredo pode lhe ser revelado. Portanto, vamos voltar nossa atenção a alguns dos grandes potenciais de uma atitude mental positiva.

Se tem sua atitude mental sob controle, você pode controlar quase todas as outras circunstâncias que afetam sua vida, incluindo medos e preocupações de qualquer natureza.

O quanto a atitude mental é importante?

Vamos analisar o papel que a atitude mental desempenha em nossa vida e compreender o quanto ela é importante.

Sua atitude mental é o fator principal para atrair pessoas em espírito de afabilidade ou para repeli-las; isso depende de sua natureza ser positiva ou negativa, e você é a única pessoa que pode determinar como ela será.

Atitude mental é um fator importante na manutenção da boa saúde física. Todos os médicos sabem e a maioria admitirá que a atitude mental do paciente é mais importante na cura de enfermidades físicas do que qualquer outro fator isolado.

A atitude mental é um fator determinante — talvez o fator mais importante — para os resultados que se obtém das preces. Há muito tempo se sabe que, quando alguém reza com atitude mental agitada por medo, dúvida e ansiedade, só experimenta resultados negativos.

Apenas das preces respaldadas por uma atitude mental de profunda fé é que se pode esperar resultados positivos.

Sua atitude mental ao dirigir um automóvel na via pública determina em larga medida se você é um motorista seguro ou um perigo no trânsito, pondo em risco sua vida e a dos outros. Dizem que a maioria dos acidentes de carro acontecem por embriaguez ao volante, raiva ou algum tipo de ansiedade excessiva dos motoristas.

Sua atitude mental determina em larga medida se você encontra paz mental ou passa a vida em estado de frustração e miséria.

Atitude mental é a base de toda arte de vender, independentemente do que seja vendido — mercadorias, serviços pessoais ou qualquer produto. Uma pessoa com atitude mental negativa não consegue vender nada. Pode receber um pedido de alguém que compre algo dela, mas não faz uma venda. A transação é inteiramente de compra. Talvez você tenha visto essa verdade demonstrada em muitas lojas de varejo onde a mente dos vendedores nitidamente não está voltada para agradar os clientes.

A atitude mental controla muito amplamente o espaço que a pessoa ocupa na vida, o sucesso que obtém, os amigos que faz e as contribuições que deixa para a posteridade. Não seria exagerar a verdade dizer que atitude mental é tudo.

Atitude mental é o meio pelo qual se condiciona a mente para enfrentar uma cirurgia ou tratamento dentário sem medo da dor física. A maneira como se pode realizar isso será claramente descrita nos capítulos subsequentes.

Tem gente que acredita que a atitude mental, atuando no corpo físico durante a vida, influencia o que acontece após a morte. Não existe prova positiva dessa teoria, exceto que obviamente é lógica.

Por fim, a prova mais convincente da importância da atitude mental é o fato de ser a única coisa sobre a qual qualquer um tem o privilégio total e imutável de controlar. Não podemos controlar os pensamentos ou ações das outras pessoas. Tampouco podemos controlar nossa chegada ou nossa partida dessa vida, mas temos o privilégio inexorável de controlar cada pensamento que emitimos de nossa mente a partir do instante em que começamos a pensar até o momento em que a vida acaba.

Aqui está então o mais profundo, o mais significativo de todos os fatos que influenciam a vida de um indivíduo! É lógico que, ao dar a cada pessoa o controle completo sobre seu pensamento, o Criador pretendeu que isso fosse um bem inestimável, e é exatamente isso que é, pois a mente é o único meio pelo qual um indivíduo pode planejar sua própria vida e vivê-la conforme sua escolha.

Henley, o poeta, deve ter entendido essa grande verdade quando escreveu as seguintes linhas: "Sou o senhor do meu destino, sou o capitão da minha alma". Podemos verdadeiramente nos tornar capitães de nosso destino neste mundo na exata medida em que tomamos posse de nossa mente e a direcionamos para fins definidos por meio do controle de nossas atitudes mentais.

A atitude mental pode ser positiva ou negativa

Apenas uma atitude mental positiva compensa nos assuntos de nossa vida cotidiana; por isso, vamos ver o que ela é e como podemos obtê-la e aplicá-la na luta pelas coisas e circunstâncias que desejamos da vida.

Uma atitude mental positiva tem muitas facetas e inumeráveis combinações para ser aplicada em cada circunstância que afeta nossa vida.

Antes de mais nada, uma atitude mental positiva é o objetivo estabelecido de fazer com que cada experiência, seja agradável ou desagradável, renda algum tipo de benefício que nos ajude a equilibrar a vida com todas as coisas que levam à paz mental.

É o hábito de procurar "a semente de um benefício equivalente" que vem com cada fracasso, derrota ou adversidade que experimentamos e fazer com que essa semente germine em algo benéfico. Apenas uma atitude mental positiva pode reconhecer e se beneficiar com as lições ou semente de benefício equivalente que vêm com todas as coisas desagradáveis que se vivencia.

Uma atitude mental positiva é o hábito de manter a mente ativamente ocupada com as circunstâncias e coisas que se deseja da vida e fora das coisas que não se deseja. A maioria das pessoas passa pela vida com a atitude mental dominada por medos, ansiedades e preocupações com circunstâncias que de algum modo dão jeito de aparecer mais cedo ou mais tarde. E a parte estranha dessa verdade é que essas pessoas com frequência culpam os outros pelos infortúnios que elas trouxeram para si com as atitudes mentais negativas.

A mente tem uma maneira precisa de revestir os pensamentos com os equivalentes físicos adequados. Pense em termos de pobreza e você atrairá pobreza. Pense em termos de riqueza e você atrairá riqueza. Por meio da lei eterna da atração harmoniosa os pensamentos sempre revestem-se de coisas materiais adequadas à sua natureza.

Uma atitude mental positiva é o hábito de olhar para todas as circunstâncias desagradáveis com que se depara como meras oportunidades de testar a capacidade de se erguer acima delas buscando a "semente de benefício equivalente" e colocando-a para trabalhar.

Uma atitude mental positiva é o hábito de avaliar todos os problemas e distinguir entre os que se pode dominar e aqueles que não se pode controlar. A pessoa com uma atitude mental positiva empenha-se em resolver os problemas que pode controlar e lida com os que não pode controlar de modo que não alterem sua atitude mental de positiva para negativa.

Uma atitude mental positiva ajuda a se dar um desconto para as fragilidades e fraquezas de outras pessoas, sem se ficar chocado com a negatividade mental delas ou ser influenciado por sua maneira de pensar.

Uma atitude mental positiva é o hábito de agir com definição de objetivo, com plena crença tanto na solidez de tal objetivo quanto na capacidade de atingi-lo.

É o hábito de ir além da própria responsabilidade e prestar mais e melhor serviço do que se é obrigado a prestar e fazer isso de maneira amigável e agradável.

É o hábito de escolher uma meta definida e marchar rumo a sua realização sem hesitar por causa de elogios ou condenações.

É o hábito de procurar boas qualidades nas outras pessoas e esperar encontrá-las, estando ao mesmo tempo preparado para reconhecer as qualidades desfavoráveis sem ficar chocado em um estado mental negativo.

É o hábito de dominar todas as emoções, submetendo-as ao exame da mente e à disciplina da força de vontade.

É o hábito de encarar todos os fatos que afetam a vida, tanto agradáveis quanto desagradáveis, e manter a cabeça fria quando as emergências desagradáveis surgem.

É o reconhecimento do poder universal da Inteligência Infinita e o conhecimento de que ela pode ser adquirida e direcionada por meio da fé para a realização de finalidades definidas.

Uma atitude mental positiva é o principal meio pelo qual os Alcoólicos Anônimos ajudam incontáveis homens e mulheres a se curar do alcoolismo. E também é a base para a cura do hábito de fumar em excesso.

É o meio para todos os tipos de "condicionamento mental" para quaisquer objetivos, inclusive a eliminação de todos os tipos de medo.

Todos os hábitos, bons ou maus, voluntários ou involuntários, são estabelecidos pela atitude mental. É o meio pelo qual se pode transmutar hábitos e circunstâncias desagradáveis em algum tipo de benefício.

Uma atitude mental positiva é o único meio pelo qual se pode exercer o direito inerente de manter controle total sobre a própria mente, sem ajuda ou empecilho de ninguém. E é o meio pelo qual os obstáculos podem ser transmutados em trampolins para o progresso em qualquer vocação.

A atitude mental revela-se de uma pessoa para outra sem palavras, sinais ou ações, por meio da telepatia. Portanto, é contagiosa.

A atitude mental de uma pessoa enquanto come ajuda na digestão ou a retarda, e uma atitude mental negativa pode paralisar o processo digestivo por completo.

A atitude mental de um orador público muitas vezes determina como seu discurso será interpretado com eficiência ainda maior do que a das palavras que ele usa. A atitude mental de um escritor enquanto escreve também é transmitida ao leitor por trás das linhas escritas.

Pelo condicionamento e controle adequados da atitude mental, pode-se condicionar a mente para enfrentar qualquer tipo de circunstância desagradável sem se ficar transtornado com ela, incluindo até mesmo a emergência da morte de entes queridos.

A atitude mental é um portão de duas vias no caminho da vida, que pode abrir-se de um lado para o sucesso e de outro para o fracasso. A tragédia é que a maioria das pessoas abre o portão para o lado errado.

A atitude mental do paciente é o melhor auxílio para o médico ou seu maior empecilho no tratamento de enfermidades físicas, dependendo de tal atitude ser positiva ou negativa.

A partir dessas afirmações de fatos conhecidos, pode-se facilmente entender por que a atitude mental é tudo, pois influencia toda experiência com que deparamos e está sob nosso total controle o tempo todo.

Que pensamento profundo é reconhecer que uma coisa que pode nos dar sucesso ou nos trazer fracasso, abençoar-nos com paz mental ou nos amaldiçoar com miséria em todos os dias de nossa vida é simplesmente o privilégio de tomar posse de nossa própria mente e orientá-la para quaisquer finalidades de nossa escolha por meio da atitude mental.

Como se consegue controlar a atitude mental?

O ponto de partida do controle da atitude mental é motivo e desejo. Ninguém jamais faz nada sem um motivo ou motivos, e, quanto mais forte o motivo, mais fácil é controlar a atitude mental.

A atitude mental pode ser influenciada e controlada por uma série de fatores, tais como:

1. Um desejo ardente de atingir um objetivo definido baseado em um ou mais dos nove motivos básicos que acionam todo empreendimento humano. (Ver a lista desses nove motivos básicos no Capítulo 7.)

2. O condicionamento da mente para automaticamente escolher e executar objetivos definidos positivos, com o auxílio dos oito príncipes guias ou alguma técnica semelhante

que mantenha a mente ativamente engajada em objetivos positivos quando se está adormecido, assim como quando se está desperto. (Ver a descrição da natureza dos oito príncipes guias no Capítulo 4.)

3. A associação íntima com pessoas que inspiram engajamento ativo em objetivos positivos e a recusa em ser influenciado por gente de mentalidade negativa.

4. A autossugestão pela qual a mente constantemente recebe diretrizes positivas até atrair apenas aquilo que tais diretrizes pedem.

5. Um reconhecimento profundo, pela adoção e uso, do privilégio exclusivo do indivíduo de controlar e dirigir sua mente.

6. O auxílio de uma máquina pela qual a mente subconsciente pode receber diretrizes definidas enquanto se dorme. (Tal máquina é brevemente descrita no Capítulo 4.)

Nosso grande estilo de vida americano, nosso sistema incomparável de livre iniciativa e a liberdade pessoal da qual nos sentimos tão orgulhosos nada mais são do que a atitude mental de pessoas organizadas e direcionadas para finalidades especializadas.

O elemento do estilo de vida americano que se destaca audaciosamente acima de todos os outros consiste nas leis e mecanismos de governo que estabelecemos para proteger o indivíduo na liberdade do controle de sua atitude mental.

Foi essa liberdade no controle da atitude mental que nos deu os grandes líderes que moldaram nosso estilo de vida americano e nosso grande sistema de livre iniciativa. E é significativo que só aqueles que agiram com atitude mental positiva tornaram-se líderes.

A atitude mental positiva de Thomas Edison sustentou-o ao longo de mais de dez mil fracassos e o levou à descoberta da lâmpada elétrica incandescente, que inaugurou a grande era da eletricidade e das fabulosas riquezas que esta nos deu.

A atitude mental positiva de Henry Ford manteve-o à tona durante os esforços iniciais para construir seu primeiro automóvel e serviu como seu maior e mais importante trunfo para o estabelecimento do monumental império industrial que o fez mais rico do que Creso e proporcionou emprego, direta e indiretamente, para talvez mais de dez milhões de homens e mulheres.

A atitude mental positiva de Andrew Carnegie ergueu-o da pobreza e obscuridade e serviu como seu maior trunfo no estabelecimento de uma indústria que deu origem à grande era do aço, que hoje atua como o elo mais importante de todo o nosso sistema econômico.

A atitude mental positiva de Mahatma Gandhi (ele a chamava de resistência passiva) foi superior ao grande poder das forças militares britânicas que governaram a Índia por muitas gerações. Foi a atitude mental positiva de Gandhi que gerou a aliança de MasterMind com mais de dois milhões de seus companheiros, que deram tremendo poder à "resistência passiva" e libertaram a Índia sem um disparo de arma e sem a perda de um único soldado.

Foi a atitude mental positiva do construtor da ponte suspensa Golden Gate que nos deu a maior ponte de vão único do mundo, não obstante sua primeira tentativa ter indicado que a obra era uma impossibilidade em termos de engenharia.

Onde quer que encontremos liderança e grande realização em qualquer nível de vida, em qualquer vocação ou ocupação, reconhecemos que fundamentam-se sobre uma atitude mental positiva.

Uma atitude mental positiva é a soma de todas as esperanças, desejos e crenças, somados a — e transmutadas pela — fé! E fé é a porta aberta para a Inteligência Infinita, que pode ser adquirida e usada apenas por aqueles que mantêm uma atitude mental positiva.

E o fato mais importante a respeito de uma atitude mental positiva é que todos têm o privilégio de adotá-la e usá-la, sem dinheiro e sem preço, para todos os objetivos.

O segredo pelo qual essa importante verdade pode enriquecer a mente e proporcionar domínio sobre os obstáculos à felicidade com que você possa deparar pelo resto da vida é revelado nos capítulos a seguir.

Leia com uma mente aberta e você será recompensado com um tipo de riqueza suficiente para lhe oferecer uma vida equilibrada, a liberdade do medo e paz mental duradoura. Nos capítulos a seguir você será apresentado à maior pessoa atualmente viva. Quando descobrir o nome dessa pessoa, marque a página onde o nome foi revelado e o assine, pois você terá descoberto um novo significado do objetivo pelo qual estamos neste planeta pelo breve período de anos chamado vida.

Nos capítulos a seguir, são apresentadas instruções minuciosas para se ajustar a atitude mental a fim de eliminar o medo de cirurgia dentária ou médica. Este capítulo sobre atitude mental é uma espécie de prévia que irá prepará-lo para aceitar e usar as instruções para a eliminação do dissabor relativo a uma cirurgia ou a quaisquer outras circunstâncias indesejáveis com que você possa deparar.

Capítulo 2

UMA VISITA AO VALE DOS MILAGRES DA VIDA

Há pouco voltei páginas do grande livro do tempo onde meu magnífico interlúdio com a vida foi registrado e, nas páginas marcadas como "Coisas que descartei por serem prejudiciais ou inúteis na vida", descobri uma mina de tesouros que revelarei ao longo desta obra.

Por que demorei tanto para fazer essa descoberta de riquezas fabulosas que havia ignorado? A resposta ficará óbvia quando a natureza de minha descoberta tiver sido descrita. Antes que pudesse fazer essa descoberta, tive que chegar à era da espiritualidade, tive que trocar a juventude pela maturidade a fim de adquirir sabedoria suficiente que me conferisse capacidade para reconhecer e interpretar adequadamente as grandes riquezas "interiores" por olhos que não são enganados pelos hábitos falsos dos homens.

Ao voltar lentamente as páginas desse espantoso registro no livro do tempo, fiquei chocado ao descobrir que tudo, cada circunstância conhecida pelo homem, cada erro, cada fracasso e cada mágoa podem tornar-se altamente benéficos quando a pessoa relaciona-se com tais coisas em espírito de harmonia e com entendimento de sua natureza e objetivo.

E, analisando todas as circunstâncias de meu passado que considerei desagradáveis e prejudiciais na época, fiquei agradavelmente surpreso ao compreender que cada uma delas rendeu muitas das únicas coisas de valor permanente que hoje possuo.

Durante minha exploração do grande livro do tempo, descobri um método anteriormente desconhecido pelo qual todos os fracassos, erros e frustrações anteriores de um homem podem ser transmutados nas mais ricas bênçãos conhecidas pela humanidade. Foi essa descoberta que não me deixou alternativa a não ser escrever este livro para o benefício daqueles que estão tateando na escuridão em busca do caminho para a paz mental, assim como eu busquei-o às cegas por quase quarenta anos.

Antes que eu remexesse na montoeira de ideias e coisas que temia e as descartasse como inúteis, acreditava que o segredo da realização bem-sucedida poderia ser revelado apenas pelo estudo daqueles que eram bem-sucedidos.

Tendo sido incumbido por Andrew Carnegie de dar ao mundo a primeira filosofia prática do sucesso e, graças a ele, tendo tido acesso a mais de quinhentas das pessoas de maior sucesso de seu tempo, naturalmente enxerguei esses homens de grandes realizações como a única fonte de conhecimento aproveitável digno de consideração por aqueles que estão tentando encontrar seu lugar em um mundo intensamente competitivo.

Agora abandonei essa falsa conclusão, pois descobri que as leis eternas da realização humana bem-sucedida estão tão disponíveis aos pobres e humildes quanto aos ricos e orgulhosos.

Minha primeira percepção chocante dessa grande verdade ocorreu em meu primeiro encontro com um negro inculto nascido no Sul e que ganhava a vida com o suor de seu rosto. Quando ouvi a história dele pela primeira vez, procurei-o e fiz uma pesquisa e análise críticas, pois tinha um ávido desejo de conhecer o segredo de seu impactante renascimento da pobreza para a riqueza dentro um período inacreditavelmente curto.

Em um dia quente de verão, esse homem parou ao final de uma fileira de algodoeiros, apoiou-se no cabo da enxada, passou um pano na testa e bradou em agonia: "Ó Senhor! Por que tenho que trabalhar desse jeito e não obter nada exceto uma choupana para dormir e toucinho salgado para comer?".

Seu brado trouxe uma resposta e deu início a uma série de acontecimentos que mudou a vida de milhões de pessoas destinadas a ouvir a história dele.

Escolhi a história desse homem como introdução para este capítulo porque ilustra com perfeição a solidez do conselho que oferecerei nos próximos capítulos àqueles que buscam riquezas materiais, paz mental e melhor entendimento dos meios para dominar todas as circunstâncias desagradáveis.

Devido ao local de nascimento e à cor da pele, esse homem tinha dois pontos contra si de saída, mas unicamente por causa daquela pergunta sintonizou-se com um dos grandes milagres da vida, que será descrito mais adiante, e ergueu-se a uma posição de fama e fortuna desconhecida pela maioria das pessoas — mesmo aquelas que tiveram o privilégio da educação formal em nossas grandes universidades.

Antes de mais nada, a resposta à pergunta do homem colocou-o em contato com o primeiro princípio do sucesso, a definição de objetivo, e com um plano definido para alcançá-lo. E o objetivo era nada menos que a troca de sua velha personalidade por uma muito mais grandiosa — uma personalidade com o poder de adquirir o que desejasse, a despeito de raça, credo ou cor —, o tipo de personalidade que me empenharei em ajudar todo leitor deste livro a obter.

Sem demora, em conformidade com a resposta recebida, o homem nomeou-se para o alto sacerdócio como Deus em pessoa, o único Deus vivo e verdadeiro de todos os povos da Terra. Pense o que se pensar da escolha do objetivo principal definido desse homem, ele não pode ser acusado de complexo de inferioridade, uma influência dominante em tantas vidas.

Agora, antes de se chegar a quaisquer conclusões sobre a autonomeação do homem a uma condição de vida tão elevada, deixe-me oferecer uma breve informação sobre o quão longe ele já foi na realização de seu objetivo principal. Talvez você abrande o julgamento a respeito dele e, em vez de condená-lo, seria mais benéfico que encontrasse algo dos poderes que ele adotou para se alçar à sua elevada condição de vida.

Esse homem conferiu-se o pseudônimo muito impressionante de Pai Divino.* Conquistou um séquito estimado em milhões, incluindo grande número de brancos, situados por todos os Estados Unidos e alguns outros países.

Pai Divino ficou encarregado de vastas somas de dinheiro, tudo obtido via doações voluntárias. Viajava de Rolls Royce e dormia em seus próprios hotéis em muitas das cidades que visitava, de modo que nunca havia a questão de se hospedar em um local que não tivesse as melhores acomodações; a barreira racial não o afetava. Sua enorme e complexa organização operava muitos tipos de negócios, de carrinhos de mão a lojas de roupas e restaurantes — todos com equipe de serviço voluntário.

---

* Father Divine (c. 1876-1965), ou reverendo M. J. Divine, foi um líder espiritual negro, fundador do movimento Missão Internacional da Paz, que, de congregação pequena e predominantemente negra, expandiu-se em uma grande igreja internacional e multirracial. (N.T.)

O quanto a riqueza de Pai Divino fez de bem a outros não interessa aqui. Com certeza não pretendo promover Pai Divino para ninguém, passado tanto tempo.

Todavia, o objetivo do autor é familiarizá-lo com a natureza do "milagre" com que Pai Divino topou, talvez por puro acaso, e lhe deu liberdade sobre a desvantagem de raça e cor, bem como liberdade sobre a desvantagem da pobreza e falta de educação, e deixou-o extremamente rico.

Essa informação é para seu benefício, não que você possa emular Pai Divino, mas para inspirá-lo a superá-lo no campo de sua escolha de serviço à humanidade, seja no reino religioso ou em algum outro serviço útil. Ou você pode contentar-se em usar a informação apenas para abrandar o fardo de sua vida pessoal.

O segredo da riqueza de Pai Divino não é novo para mim. Devotei mais de quarenta anos a seu estudo e o vi funcionar com sucesso na vida de mais de quinhentos homens de destaque dessa nação com os quais trabalhei e que colaboraram comigo ao longo de anos na organização da Ciência do Sucesso — homens como Henry Ford, Thomas Edison, Alexander Graham Bell, Woodrow Wilson e William Howard Taft.

O mais estranho no que concerne a esse segredo supremo do sucesso pessoal, conforme revelado pelo estudo detalhado dos homens notáveis com quem trabalhei, é que nenhum deles — exceto três — entendia a verdadeira fonte de seu sucesso ou a natureza do poder que tornava possível um sucesso em escala tão fabulosa. A vasta maioria topou com esse grande "milagre" de modo bem parecido com o de Pai Divino.

Aqueles que buscam o verdadeiro segredo das realizações de Pai Divino não hão de ignorar que, se ele tinha um séquito voluntário de trinta milhões de pessoas ou mesmo de um milhão, tinha que possuir algum poder de atração misterioso normalmente não possuído por aqueles inteiramente motivados pela ganância por coisas materiais.

Aqui, como em outros capítulos, o autor empenha-se em enfatizar que o segredo da prosperidade financeira é precisamente o mesmo pelo qual se pode transmutar a dor física ou qualquer circunstância desagradável em benefício.

Neste capítulo e nos que seguem, vou descrever plenamente o "milagre" responsável pelo sucesso de Pai Divino, mas farei mais que isso. Descreverei alguns milagres adicionais disponíveis a todas as pessoas da Terra — milagres apenas parcialmente reconhecidos e raramente usados, embora proporcionem o verdadeiro caminho para a paz mental e riqueza material em abundância.

Todos, exceto aproximadamente uma em cada dez milhões de pessoas que possam ler a lista de "milagres" que descreverei, ficarão chocados e surpresos em saber que listei-os como riquezas potenciais da mais elevada categoria. Essa única pessoa em cada dez milhões não ficará chocada ou surpresa porque pertence à mesma classe dos Edisons, Fords e Pais Divinos que topam com um "milagre" e usam-no para moldar o destino ao padrão de vida que delinearam.

Ao viajarmos pelo "Vale dos Milagres da Vida", veremos que um desses "milagres" foi nitidamente responsável pela transição de Pai Divino da pobreza e ignorância extremas para a riqueza fabulosa e sabedoria suficiente para administrá-la; você terá motivo para se regozijar se reconhecer o "milagre" específico por intermédio do qual essa mudança foi forjada. Se não fizer a descoberta neste capítulo, ela lhe será revelada nos capítulos subsequentes, onde registrei tudo que se sabe sobre o caminho que leva à paz mental e à abundância.

Eis aqui algumas pistas que podem ajudá-lo a analisar Pai Divino com exatidão:

O exato momento, local e circunstâncias onde seu novo nascimento ocorreu foram questões inteiramente de sua escolha e sob seu controle.

Ninguém ajudou ou sugeriu a ele a possibilidade de lançar fora a ignorância e a pobreza e no lugar delas adquirir riqueza e sabedoria fabulosas. Esse ponto é enfatizado porque naturalmente sugere que qualquer coisa que um homem inculto fez, qualquer outra pessoa de igual capacidade mental pode repetir ou superar em qualquer campo do empreendimento humano de sua escolha.

Poderia alguém sensato duvidar que a fórmula pela qual esse homem trocou a pobreza por vasta riqueza também pode servir para transmutar qualquer circunstância indesejável em benefício de proporções equivalentes?

Onde está a diferença entre esse homem em particular e os outros de sua raça que vivem nos Estados Unidos e possuem os mesmos privilégios que ele adquiriu por si? A resposta para essa pergunta pode dar uma pista sólida para o "milagre" que transformou esse autoproclamado Messias de um zé-ninguém na mais horrenda pobreza em alguém no comando de uma superabundância.

O "milagre" responsável pela mudança de vida de Pai Divino é o mesmo que alçou Henry Ford, Thomas Edison e Andrew Carnegie a alturas estupendas de realização pessoal em seus respectivos campos, e é o mesmo "milagre" responsável por todo progresso da raça humana em todos os campos de atividade.

Com a ajuda desse "milagre", Milo Jones, proprietário de uma pequena fazenda perto de Fort Atkinson, em Wisconsin, tornou-se milionário depois de acometido de paralisia dupla e encontrou o sucesso na mesma fazenda onde antes mal conseguia se sustentar.

Alunos deste autor que encontraram a prosperidade resolveram problemas pessoais "impossíveis" e encontraram paz mental com a ajuda desse "milagre" somam uma legião. Pertencem a quase todas as classes sociais, negócios e profissões em toda uma grande parte do mundo. Assim sendo, os exemplos dados neste livro foram adequadamente autenticados ao longo de mais de quarenta anos de pesquisa.

O Dr. Frank Crane era pastor de uma pequena igreja em Chicago, onde mal conseguia prover seu sustento. Como aluno deste autor, descobriu o "milagre" que lhe rendeu a ideia de publicar seus sermões em uma coluna para uma série de jornais, o que lhe garantiu renda anual de mais de US$ 75 mil.

O que tudo isso tem a ver com o domínio do medo, da dor física e da tristeza e das múltiplas frustrações com que se pode deparar na vida? Como o princípio que ajuda pessoas a ficar ricas em termos de dinheiro pode também servir para separar a dor física da broca do dentista ou do bisturi do cirurgião?

Tenha paciência, leia com atenção, com uma mente aberta e você terá as respostas para essas e todas as outras perguntas que possam surgir em sua mente antes do "milagre" lhe ser revelado.

Se você exigisse com impaciência que o "milagre" fosse revelado no primeiro capítulo deste livro, o autor responderia contando uma coisa que aconteceu quando era garotinho, mas que deixou impressão duradoura em sua mente.

O avô retirou milho do galinheiro, espalhou pelo chão de terra e cobriu com palha. Quando indagado por que se deu a todo esse trabalho, ele respondeu: "Por dois motivos muito bons: primeiro, cobrir o milho com palha, de modo que as galinhas tenham que ciscar para encontrá-lo, proporciona o exercício de que elas precisam para ficar saudáveis; e, em segundo lugar, dá a elas a oportunidade de terem o prazer de mostrar o quanto são espertas ao encontrar o milho que pensam que tentei esconder delas".

Vamos agora à análise de alguns "milagres" menores que se deve entender e avaliar adequadamente antes que a natureza do "milagre" maior, que proporciona uma transformação na vida, possa ser revelada. Talvez o mais incompreendido de todos esses "milagres" seja aquele descrito no próximo capítulo, pois revela o ponto de onde se deve partir para substituir as circunstâncias de vida que não se deseja por aquelas que se almeja.

Capítulo 3

A LEI DO CRESCIMENTO PELA MUDANÇA

O PRIMEIRO MILAGRE DA VIDA

A mudança permanente foi escolhida para encabeçar a lista dos milagres da vida não porque essencialmente seja o mais importante dos milagres aqui descritos, mas porque é o mais acirradamente combatido pela vasta maioria da raça humana. O fracasso em entender e se adaptar a ele é a principal causa de todos os fracassos e derrotas pessoais.

Na primeira metade do século 20, as mudanças em nosso estilo de vida revelaram mais dos segredos da natureza do que aquilo que havia sido descoberto em todo o passado da civilização. Entre outras, houve a invenção do automóvel, do telefone, do rádio, da televisão, do cinema falado, dos aviões, do radar e do telégrafo sem fio — tudo produzido pelos processos sempre cambiantes da mente humana.

A mudança é a ferramenta do progresso humano, não menos na vida dos indivíduos do que nos assuntos das nações. E a empresa ou indústria que negligencia seguir em frente por meio de mudanças está fadada ao fracasso.

O grande estilo de vida americano, que proporcionou às pessoas o mais alto padrão de vida que o mundo já conheceu, foi produto de mudança contínua.

A lei da mudança é uma das leis inexoráveis da natureza, sem a qual não poderia ter havido a realidade da civilização. Sem a lei da mudança, a raça humana ainda estaria onde começou — no mesmo plano de todos os outros animais e criaturas da Terra, eternamente presos e limitados por um padrão ou instinto além do qual nunca podem erguer-se.

Pela lei da mudança (popularmente conhecida como evolução), a raça humana lentamente deixou a base da família animal, onde o destino de todas as coisas vivas é fixado por um padrão de vida ou instinto, e evoluiu para níveis cada vez mais altos de inteligência, até o homem de hoje ser algo infinitamente maior do que os trinta mil deuses que ele criou e adorou desde o começo de sua longa e tortuosa escalada.

Toda a história da humanidade e o registro da vida em todas as suas formas são um padrão nítido de perpétua mudança. Nenhuma coisa viva é a mesma por dois minutos seguidos, e essa mudança é tão inexorável que todo o corpo físico de um homem passa por uma mudança completa e uma substituição de todas as células a cada sete meses.

A lei da mudança é o dispositivo do Criador para separar o homem do restante das famílias animais. Também é o dispositivo pelo qual as verdades eternas da vida e os hábitos e pensamentos do homem estão continuamente remodelando-se em um melhor sistema de relações humanas, levando à harmonia e melhor entendimento entre os homens. E é um dos dispositivos que se deve usar para dominar hábitos estabelecidos que causam o medo da dor física.

Pela lei da mudança, os hábitos do homem que não obedecem ao padrão e objetivo gerais do universo são periodicamente quebrados por guerras, doenças epidêmicas, seca e outras forças irresistíveis da natureza que forçam o homem a libertar-se dos efeitos de suas loucuras e começar tudo de novo. A mesma lei da mudança que nivela os povos de todas as nações à base do plano geral do universo aplica-se com igual força aos indivíduos que falham em interpretar e se adaptar às leis na natureza.

"Obedeça ao plano geral ou pereça" é o aviso da natureza!

Os medos e fracassos do homem, os choques e decepções nas relações humanas são todos planejados para sacudir e soltar o homem dos hábitos aos quais se agarra com tanta tenacidade, de modo que possa adotar, abraçar e se beneficiar de hábitos de crescimento melhores.

O objetivo da educação é, ou pelo menos deveria ser, acionar a mente do indivíduo para o crescimento e desenvolvimento de dentro para fora; fazer a mente evoluir e se expandir mediante mudanças constantes nos processos de pensamento, de modo que o indivíduo possa por fim ficar familiarizado com seus poderes potenciais e assim ser capaz de resolver seus problemas pessoais.

A evidência de que essa teoria obedece aos planos da natureza pode ser encontrada no fato de que as pessoas mais bem instruídas de todos os tempos são aquelas graduadas na "Universidade dos Golpes Duros" mediante experiências que as forçam a desenvolver e usar seu poder mental.

A lei da mudança é uma das maiores de todas as fontes de educação! Entenda essa verdade e você não irá mais opor-se às mudanças que dão um âmbito mais amplo de entendimento de si mesmo e do mundo em geral. E não mais resistirá ao rompimento pela natureza de alguns hábitos que você criou e que não trouxeram paz mental ou riqueza material.

Os traços dos seres humanos que mais desagradam ao Criador são complacência, autossatisfação, procrastinação, medo e limitações autoimpostas, que trazem pesadas penas, cobradas daqueles que se entregam a tais hábitos.

Pela lei da mudança, o homem é forçado a seguir crescendo. Sempre que uma nação, uma instituição empresarial ou um indivíduo para de mudar e se acomoda num caminho batido de hábitos rotineiros, algum poder misterioso chega e rebenta o cenário, quebra os velhos hábitos e assenta a fundação para novos e melhores hábitos.

Em tudo e todos a lei do crescimento opera pela eterna mudança!

Flexibilidade de personalidade — a capacidade de um indivíduo de se adaptar a todas as circunstâncias que afetam sua vida — é um dos principais fatores de uma personalidade atraente. Também é o meio de adaptação à grande lei do crescimento pela mudança.

A Ford Motor Company expandiu-se do início modesto, como uma fábrica num galpão de tijolo, em um dos maiores impérios industriais do mundo, proporcionando emprego para centenas de milhares de pessoas direta e indiretamente.

Henry Ford, o fundador, a despeito de todas as características de gênio em gestão industrial, esteve muito perto de arruinar o negócio em pelo menos duas ocasiões porque sua capacidade de flexibilidade — a capacidade de mudar — não evoluiu com o passar dos anos. Depois de sua morte, a empresa foi assumida pelo neto, apenas um jovem em comparação com o fundador, mas um jovem com grande flexibilidade e disposição para obedecer a lei do crescimento pela mudança. Em questão de anos o jovem transformou o império industrial da Ford em uma instituição muito mais avançada do que tudo que o avô havia realizado em toda a sua vida.

Em relações trabalhistas, gestão industrial, *design* e estilo automotivo, o jovem Henry Ford mostrou-se um homem que encorajava a mudança em vez de combatê-la e, por meio dessa aplicação de sabedoria, tornou-se um mago da indústria da noite para o dia.

Por toda parte, a alma do homem brada, de fato dizendo: acorde, seja sábio, lance fora seus velhos hábitos antes que o prendam em escravidão e forcem a voltar para outra tentativa em uma nova encarnação. Se deseja acabar o serviço enquanto está aqui, você deve adaptar-se à grande lei da mudança e continuar a crescer.

A alma do homem brada em palavras de advertência e diz: tudo, toda circunstância que toca sua vida, seja agradável ou desagradável, é grão para o seu moinho da vida. Aceite como tal, moa de acordo com o padrão de vida de sua escolha e deixe que lhe sirva em vez de lhe atormentar com medo e preocupação.

Uma velha família da Virgínia nasceu e se criou nas montanhas do sudoeste em relativa pobreza. Finalmente a ferrovia chegou, e os ricos campos de carvão começaram a ser explorados. A família vendeu sua terra na montanha por uma soma fabulosa, mudou-se para a cidade e construiu uma casa moderna. Quando a casa ficou pronta, com três banheiros equipados com todos os confortos modernos, a esposa recusou-se a permitir que o empreiteiro fosse pago, alegando que o serviço não estava concluído.

"O que está faltando?", perguntou o empreiteiro.

"Você sabe muito bem o que está faltando", replicou a esposa. "Não tem uma casinha."

"Bem", explicou o empreiteiro, surpreso, "as casinhas saíram de moda quando vocês se mudaram para a cidade. Agora vocês têm três lindos banheiros onde podem cuidar de todas as necessidades físicas com privacidade e grande conforto".

"A vida inteira", exclamou a esposa, "gostei de ler o catálogo da Sears e da Roebuck na minha casinha e não tenho a intenção de abrir mão de um prazer a essa altura da vida. Construa a casinha, ou não lhe darei o dinheiro".

A casinha foi construída! Quando a esposa inspecionou, declarou: "Assim não serve! Tem apenas uma privada no assento, e sempre tivemos duas".

Então foi providenciado mais uma privada, e por precaução o empreiteiro instalou encanamento para água quente e fria e também um telefone, de modo que a velha e rica senhora pudesse cumprir seus deveres sociais e ler os catálogos da Sears e Roebuck na casinha.

Complacência e velhos hábitos conquistaram uma vitória sobre a mudança e o progresso.

Quando as caixas registradoras foram introduzidas, os fabricantes tiveram grande dificuldade em fazer os comerciantes instalá-las, e os atendentes em geral tinham ataques por causa delas. Os vendedores das lojas fecharam a cara para o novo equipamento como se fosse uma sugestão de que eram desonestos, e os comerciantes protestaram alegando que o custo das máquinas, mais o tempo exigido para sua operação corroeriam profundamente os lucros.

Mas a lei da mudança é persistente e inevitável! Hoje nenhum comerciante em perfeito juízo tentaria operar um varejo, mesmo um no qual ninguém além dele lidasse com recebimentos de caixa, sem o auxílio de uma caixa registradora.

Quando o Federal Reserve System foi posto em funcionamento pelo Congresso dos Estados Unidos, os banqueiros em geral berraram em protesto. O sistema significou uma mudança radical, e os banqueiros, como todo mundo, eram contrários a quaisquer mudanças que rompessem com suas formas estabelecidas de fazer negócios. O Federal Reserve System provou-se a maior salvaguarda já introduzida para os bancos e, se sugerissem a abolição do sistema hoje, os banqueiros provavelmente lançariam um grito igualmente alto contra a mudança.

É um fato da maior importância o Criador ter provido o homem com o único meio pelo qual pode romper com a família animal e ascender a estados espirituais e, que pode ser o senhor de seu destino neste mundo. O meio fornecido para tal é a lei da mudança. Pelo simples processo de mudar a atitude mental, o homem pode atrair para si qualquer padrão de vida que escolha e tornar tal padrão realidade. Essa é a única coisa sobre a qual o homem recebeu poder de controle absoluto irrevogável, incontestável e imutável — o que sugere que esta deve ter sido considerada pelo Criador a prerrogativa mais importante do homem.

Ditadores e pretensos conquistadores do mundo vêm e vão. Eles sempre se vão porque não faz parte do plano geral do universo que o homem seja escravizado. Faz parte do eterno padrão que todo homem seja livre, viva sua vida à sua maneira, controle seus pensamentos e suas ações para fazer seu destino terreno.

Por isso o filósofo que examina o passado para determinar o que acontecerá no futuro ainda por nascer não consegue ficar entusiasmado quando um Hitler ou um Stalin momentaneamente deleita-se à luz de seu ego e ameaça a liberdade da humanidade. Pois esses homens, como todos os outros de sua laia que os precederam, irão se destruir com seus excessos, vaidades e luxúria por poder sobre o mundo livre. Além disso, esses pretensos estranguladores da liberdade humana só podem ser demônios que involuntariamente servem como tropa de choque para despertar o homem de sua complacência e dar lugar à mudança que trará novos e melhores estilos de vida.

A natureza leva o homem de mudança em mudança por meios pacíficos contanto que o homem coopere, mas recorre a métodos revolucionários se o homem rebela-se e negligencia ou se recusa a obedecer a lei da mudança. O método revolucionário pode consistir na morte de um ente querido ou em uma doença grave, pode trazer um fracasso nos negócios ou a perda do emprego, o que força o indivíduo a mudar de ocupação e buscar emprego em um campo inteiramente novo, onde encontrará maiores oportunidades, que jamais teria conhecido se seus velhos hábitos não fossem quebrados.

A natureza faz cumprir a lei da fixação dos hábitos em todo ser vivo inferior ao homem e de modo igualmente definitivo faz cumprir a lei da mudança nos hábitos do homem. Assim, a natureza provê o único meio pelo qual o homem pode crescer e evoluir de acordo com sua posição determinada no plano geral do universo.

A primeira grande adversidade de Thomas Edison foi experimentada quando o professor mandou-o para casa depois de apenas três meses de escola com um bilhete para os pais dizendo que ele não tinha capacidade para aprender. Ele nunca mais voltou à escola — à escola tradicional, diga-se —, mas começou a instruir-se na grande "Universidade dos Golpes Duros", onde obteve uma educação que fez dele um dos maiores inventores de todos os tempos. Antes de graduar-se nessa universidade, foi despedido de um emprego atrás do outro, enquanto a mão do destino guiava-o pelas mudanças essenciais que o prepararam para se tornar um grande inventor. Uma educação formal talvez tivesse estragado suas chances de tornar-se grande.

A natureza sabe o que faz quando adversidade, dor física, tristeza, aflição, fracasso e derrota temporária sobrevêm a um indivíduo.

Lembre-se disso e aproveite da próxima vez que deparar com a adversidade. E, em vez de bradar em rebelião ou tremer de medo, mantenha a cabeça erguida e olhe em todas as direções em busca da semente de benefício equivalente trazida por toda circunstância adversa.

Nunca fiquei amedrontado com as mudanças revolucionárias em minha vida, fossem elas voluntárias ou forçadas por circunstâncias de natureza desagradável sobre as quais eu não tinha controle, pois pelo menos tenho controle sobre minha reação a essas circunstâncias. E exercito o privilégio, não com reclamações, mas procurando a semente de benefício equivalente que cada experiência traz consigo.

O livro que você está lendo é literalmente o produto de mais de quarenta anos de mudanças contínuas e muitas vezes drásticas que tive que fazer em meu estilo de vida. Muitas mudanças foram forçadas, algumas foram voluntárias, mas no fim todas contribuíram para a revelação do segredo da paz mental e da prosperidade material.

Quando fui incumbido por Andrew Carnegie de começar a pesquisa preparatória para a organização da primeira filosofia prática de realização pessoal do mundo, estava tão pouco preparado para a tarefa que sinceramente não sabia o significado da palavra "filosofia" até olhar no dicionário.

Se alguém alguma vez começou uma tarefa do zero, fui eu bem ali! O que tive que fazer para me preparar para o cumprimento bem-sucedido da incumbência dada por Carnegie não foi uma mera mudança, foi praticamente um trabalho de reconstrução completa! Talvez isso tenha sido afortunado, pois o conhecimento que obtive de meus esforços pessoais por fim levou à revelação do "milagre" supremo que é o objetivo central da redação deste livro.

O trabalho de reconstrução incluiu a mudança de hábitos de fracasso criados por mim para hábitos de sucesso, que a longo prazo deram-me uma vida equilibrada, que inclui tudo que desejo ou de que preciso para o estilo de vida que escolhi.

Entre outras mudanças que tive que fazer na preparação para o trabalho de minha vida estão as seguintes:

1. Curar o hábito de me vender barato por falta de autoconfiança.

2. Libertar-me do hábito de ceder aos sete medos básicos, incluindo o medo de problemas de saúde e dor física.

3. Remover o hábito de me prender à penúria e escassez por limitações autoimpostas.

4. Romper o hábito da negligência em tomar posse de minha mente e direcioná-la para a realização de todos os meus desejos.

5. Curar-me do hábito do fracasso para me libertar da escassez, em espírito de humilde gratidão.

6. Mudar o hábito de querer colher antes de plantar (confundindo minhas necessidades com o direito de receber).

7. Curar-me da falsa crença de que honestidade e sinceridade de propósito sozinhas levam ao sucesso.

8. Mudar a falsa crença de que educação decorre apenas do ensino superior.

9. Corrigir o hábito de negligenciar o planejamento de minha vida com base em orçamento e uso do tempo exequíveis.

10. Curar-me do hábito do fracasso para devotar a maior parte do meu tempo à busca de meu principal objetivo definido de vida.

11. Mudar meu hábito da impaciência.

12. Corrigir o hábito do fracasso para inventariar todas as minhas riquezas intangíveis e expressar gratidão por elas.

13. Correção do hábito de me empenhar em acumular mais riquezas materiais do que poderia usar de forma legítima.

14. Corrigir o hábito de acreditar que é mais benéfico receber do que dar.

15. Por fim, mas não por último, corrigir o hábito de negligenciar o reconhecimento da fonte da Inteligência Infinita e os meios de contatá-la e usá-la para qualquer objetivo desejado — mediante a aplicação do milagre supremo.

Isso não representa a lista completa das mudanças que tive que fazer em meus hábitos de pensamento e ação, mas são algumas das mais importantes, e a partir delas fica óbvio que a lei da mudança desempenhou papel importante em minha vida e que, também obviamente, caso eu não tivesse feito tais mudanças, teria me privado do privilégio de dar ao mundo uma filosofia viável de sucesso pessoal que me proporcionou mais reconhecimento do que uma pessoa necessita nesse plano de vida.

Ao apresentar essas circunstâncias íntimas de minha vida com tamanha franqueza, espero que você reconheça que o estou preparando para aceitar a verdade de que você talvez também tenha que mudar alguns de seus hábitos antes de poder desfrutar de uma vida plena e equilibrada, conforme seu padrão e estilo de vida próprios.

A extensão das mudanças necessárias em seus hábitos atuais é uma decisão inteiramente sua, mas a lista deve incluir o domínio dos sete medos básicos caso você aspire a uma vida equilibrada que inclua paz mental.

Os sete medos básicos são os seguintes:

1. Medo da pobreza

2. Medo da crítica

3. Medo de doença e dor física

4. Medo de perder o amor

5. Medo de perder a liberdade

6. Medo da velhice

7. Medo da morte

Nos capítulos a seguir você receberá instruções para dominar estes e outros medos pela aplicação de novos hábitos de pensamento que devem ser desenvolvidos e usados no lugar dos velhos hábitos que propiciaram os medos. Quaisquer outras mudanças que possam ser necessárias para lhe oferecer uma vida equilibrada não vão alterar o fato de que dominar os setes medos básicos é item "obrigatório" em seu programa de reconstrução.

Confie na promessa de que essas instruções corretivas não irão impor dificuldades ou ações além de sua capacidade de controle. Elas vêm com um preço, mas um preço bem ao alcance dos meios de todas as pessoas normais.

Estamos onde estamos e somos o que somos por causa de nossos hábitos cotidianos!

Nossos hábitos estão sob nosso controle individual e podem ser modificados a qualquer hora pela simples vontade de modificá-los. Essa prerrogativa é o único privilégio sobre o qual o indivíduo possui controle total. Os hábitos são feitos por nosso pensamento, e nosso pensamento é a única coisa sobre a qual o Criador nos deu total direito de controle; e, junto com tal direito, enormes recompensas por seu exercício e penas terríveis pelo fracasso em exercê-lo.

Capítulo 4

NOSSOS GUIAS INVISÍVEIS
O SEGUNDO MILAGRE DA VIDA

Nossos guias invisíveis, cuja existência só pode ser provada por aqueles que os reconheceram e aceitaram seus serviços, permanecem a nosso serviço do momento de nosso nascimento até nossa morte.

Esses talismãs invisíveis permanecem conosco quando estamos despertos e zelam por nós enquanto dormimos, embora a maioria das pessoas passe pela vida sem reconhecer a existência deles.

Não é meu objetivo fazer uma longa dissertação para provar a existência dos guias invisíveis que ajudam os seres humanos, mas apenas trazê-los à atenção de meus companheiros de jornada que estejam dispostos a aceitar quaisquer fontes de auxílio que possam encontrar em sua busca por um estilo de vida que satisfaça suas necessidades e conduza à paz mental.

Não fosse o auxílio que recebi de meus amigáveis guias invisíveis, nunca teria dado ao mundo a Ciência do Sucesso, que hoje ajuda milhões de pessoas a reconhecer e fazer uso prático de suas fontes de poder interiores.

Oito de meus guias invisíveis foram reconhecidos e nomeados, cada um com um nome adequado à natureza do serviço que presta.

Eles são descritos em detalhe aqui, mas deve-se ter em mente que os oito príncipes guias são produto de minha imaginação e podem ser duplicados por qualquer um que opte por convocá-los.

Trato meus oito príncipes guias como se fossem pessoas reais, cujos serviços estão todos ao meu dispor ao longo da vida. Dou ordens e agradeço pelos serviços, assim como faria se fossem pessoas. E eles reagem a meus pedidos como se fossem pessoas reais.

Segue agora uma descrição dos oito príncipes guias com uma explicação do serviço que cada um desempenha.

Os oito príncipes guias

1. PRÍNCIPE DA PROSPERIDADE FINANCEIRA

A única responsabilidade desse guia invisível é me manter adequadamente suprido de todas as coisas materiais que eu deseje ou de que necessite para manter o estilo de vida que adotei. Preocupações com dinheiro, que destroem a paz mental de muita gente ao longo da vida, são algo que nunca experimento. Quando preciso de dinheiro, ele está sempre disponível em quaisquer quantidades que eu possa exigir, mas o dinheiro nunca é esperado nem obtido sem eu dar algo de mesmo valor em troca — geralmente na forma de serviço prestado em benefício de outros.

2. PRÍNCIPE DA BOA SAÚDE FÍSICA

A única responsabilidade deste guia invisível é manter meu corpo físico em perfeita ordem o tempo todo, incluindo o condicionamento para quaisquer ajustes que tenham que ser feitos, tais como a preparação para um tratamento dentário. Antes deste príncipe assumir o controle, eu era sujeito a dor de cabeça, constipação e às vezes esgotamento físico, que foram todos corrigidos. O príncipe da boa saúde física mantém todos os órgãos vitais de meu corpo alertas e funcionando o tempo todo, mantém os bilhões de células do meu corpo adequadamente abastecidas com resistência e proporciona imunidade apropriada contra todas as doenças contagiosas.

Deixe-me lembrar, porém, que coopero com o príncipe da boa saúde física mediante hábitos sensatos, tais como alimentação adequada, quantidade certa de sono e hábitos que equilibram meu trabalho com uma quantidade igual de distração. Mas em especial mantenho minha mente ocupada com pensamentos positivos, construtivos, e nunca permito que se engaje em nenhum tipo de medo, superstição ou hipocondria. Por fim, a cada bocado de comida e cada gota de líquido que entra em minha boca, adiciono uma generosa mistura de adoração, com a qual expresso agradecimento a meu guia invisível, o príncipe da boa saúde física, pela manutenção da perfeita saúde de todo o meu corpo.

Desfruto de pacífica tranquilidade na vida em todas as minhas atividades e experiências, mas cuido especialmente de comer em um ambiente de serenidade feliz. Não temos um horário fixo para a disciplina familiar em nossa casa, mas, se tivéssemos, não seria na hora das refeições, como é o caso em muitos lares.

Cada pensamento que o indivíduo expressa enquanto come torna-se parte da energia do alimento e entra na corrente sanguínea, e esse pensamento chega ao cérebro, onde abençoa ou amaldiçoa, de acordo com sua natureza positiva ou negativa. Evidência dessa verdade pode ser encontrada no caso da mãe que amamenta o filho no peito. Se ela fica preocupada ou com a mente negativa por algum motivo enquanto a criança está mamando, seu estado mental envenena o leite e provoca indigestão ou cólica no filho. E claro que é bem sabido pelos médicos que úlceras estomacais devem-se principalmente à preocupação e ao pensamento negativo.

É óbvio, portanto, que o príncipe da boa saúde física deve ter considerável dose de cooperação inteligente a fim de manter o corpo físico funcionando de modo eficiente e normal. Esse é o preço que se deve pagar por uma boa saúde.

3. PRÍNCIPE DA PAZ MENTAL

A única responsabilidade desse guia invisível é manter a mente livre de influências perturbadoras, tais como medo, superstição, ganância, inveja, ódio e cobiça. O trabalho do príncipe da paz mental está intimamente relacionado ao do príncipe da boa saúde física. Pelo trabalho desse guia invisível, pode-se calar todos os pensamentos sobre circunstâncias desagradáveis do passado e todos os pensamentos sobre experiências desagradáveis cogitadas para o futuro, tais como cirurgia ou tratamento dentário.

O príncipe da paz mental mantém a mente tão plenamente ocupada com temas escolhidos pelo indivíduo que não sobra espaço para pensamentos voluntários e dispersos de natureza negativa. Para esses as portas da mente estão hermeticamente fechadas! Esse guia invisível lança uma muralha de proteção em torno do indivíduo, mantendo de fora tudo que possa levar a preocupação, medo ou ansiedade de qualquer natureza, com exceção apenas das circunstâncias que possuem direito legítimo de serem consideradas, referentes às obrigações com os outros — e estas são modificadas de tal modo que são facilmente gerenciadas.

Sempre existem relações humanas que podem ser temporariamente desagradáveis, e deve-se reconhecer e lidar com elas — tais como os detalhes da gestão de um negócio, profissão ou emprego, ou o orçamento familiar —, e sempre existem emergências desagradáveis que se deve enfrentar — tais como a morte de amigos ou entes queridos. Em todas essas o príncipe da paz mental ajuda o indivíduo a se relacionar consigo sem cair em desequilíbrio mental.

4. PRÍNCIPE DA ESPERANÇA
5. PRÍNCIPE DA FÉ

} Atuando como gêmeos

A única responsabilidade desses guias invisíveis é manter o portal da Inteligência Infinita aberto para mim o tempo todo, sob todas as circunstâncias. Esses gêmeos evitam que eu me incapacite com limitações desnecessárias referentes à minha vida profissional e me ajudam a organizar meus planos de tal modo que obedeçam às leis da natureza e aos direitos dos outros homens. Ajudam-me também a ver meus planos como uma realidade concreta antes mesmo de eu começar a colocá-los em prática e me dissuadem de empreender qualquer plano ou propósito que, se levado a cabo, poderia ser de derradeiro dano para mim ou para outros.

Os príncipes da esperança e da fé mantêm-me em contato constante com as forças espirituais que operam em mim e me orientam para objetivos que beneficiam todos com quem entro em contato, seja pessoalmente ou por meio de meus livros. Aí está a explicação por que os leitores de meus livros são tão universalmente bem-sucedidos no planejamento e no modo de viver a vida.

Os príncipes da esperança e da fé mantêm-me abastecido de entusiasmo suficiente para me precaver da procrastinação. Mantêm minha imaginação alerta e ativa no planejamento do trabalho a que dedico minha vida. Ajudam-me a encontrar alegria e felicidade em tudo que faço. E ajudam-me a interpretar os males do mundo sem os acolher ou ser prejudicado por eles. Ajudam-me a caminhar com todos os homens, tanto santos quanto pecadores, e ainda assim permanecer mestre de meu destino e capitão de minha alma! Mantêm meu ego alerta e ativo, todavia humilde e grato. Por fim, ajudam-me a navegar pelas ondas de caos e confusão em um mundo que passa por rápidas mudanças nas relações humanas sem negligenciar ou abrir mão de meu privilégio inalienável de controlar e dirigir minha mente para quaisquer finalidades de minha escolha.

Com esperança e fé como guias constantes, enfrento com sucesso as resistências e experiências desagradáveis da vida, transmutando-as em forças positivas com as quais levo minhas metas e objetivos à conclusão. Com a ajuda desses guias gêmeos, tudo que chega ao moinho de minha vida é transformado em grãos de oportunidade.

6. PRÍNCIPE DO AMOR
7. PRÍNCIPE DO ROMANCE
} Atuando como gêmeos

A única responsabilidade desses guias invisíveis é manter-me jovial tanto de corpo quanto de mente, e eles fazem seu trabalho tão bem que celebro cada aniversário diminuindo um ano de minha idade! O feliz resultado disso é que sinto, penso, trabalho e me divirto como se fosse vinte anos mais jovem.

Os príncipes do amor e do romance fazem de meu trabalho uma alegria que desconhece desânimo ou fadiga e estimulam minha imaginação para criar com facilidade os moldes de todas as coisas que desejo realizar.

Esses guias invisíveis ajudam-me a viver outra vez os amores e fantasias de dias que passaram voando e trazem memórias de experiências do passado que serviram para me apresentar a meu "outro eu", o eu que acolhe as belezas e evita os dissabores da vida.

O amor e o romance ajudaram-me a trocar as mágoas, frustrações e fracassos do passado por sabedoria e proporcionaram à minha alma um aprimoramento que não seria obtido por outros meios. Ajudam a reconhecer o objetivo de meu destino neste mundo e proporcionam meios para vencer obstáculos que devo superar a fim de realizar meu destino. Ajudam cada dia de minha vida a compensar com dividendos de alegria a necessidade de esforço que cada um desses dias exige.

O amor e o romance fizeram-me flexível e adaptável a todas as circunstâncias que afetam minha vida, de modo que não me furto ao privilégio de controlar e dirigir minha mente para quaisquer finalidades de minha escolha.

Proporcionam uma aguda noção de humanidade com a qual me ajusto favoravelmente em todos os relacionamentos e ajudam a atrair as pessoas e circunstâncias de que necessito para ser grato por minha jornada de vida.

O amor e o romance ajudaram-me a reconhecer, germinar e desenvolver aquela semente de um benefício equivalente que vem com cada adversidade, cada frustração, cada fracasso e cada decepção.

O amor e o romance são os meios exclusivos pelos quais graciosamente troco a juventude pela sabedoria com que estabeleço meu preço na vida e faço a vida compensar-me nos meus termos. Também coíbem o querer excessivo e impedem que me contente com excessivamente pouco. Ensinaram-me a rezar: "Ajude-me, ó Senhor, a adquirir as coisas que são boas para mim e impeça-me de adquirir coisas de que não necessito".

O amor e o romance são os decoradores de interior do aposento superior onde reside minha alma! Fazem-me grato pelas coisas que tenho, evitam que me entristeça pelas coisas que não tenho. E, caso eu entregue meu amor onde não haja reciprocidade, o romance ajuda-me a encontrar compensação na alegria que tenho pela entrega em si e a reconhecer que o amor ricocheteia em benefício daqueles que o expressam, mesmo que não haja reciprocidade.

O amor e o romance ajudam-me a expressar piedade por aqueles a quem, sem esses guias, eu poderia expressar ódio e curam rapidamente os ferimentos a mim infligidos pelas injúrias e injustiças de outrem.

8. PRÍNCIPE DA SABEDORIA GLOBAL

As responsabilidades desse príncipe consistem em múltiplos serviços. Antes de tudo, o príncipe da sabedoria inspira a ação permanente dos outros sete príncipes, a fim de que cada um execute seus deveres o mais plenamente possível e me proteja enquanto durmo da mesma maneira que quando estou acordado.

Esse guia invisível desempenha outro serviço, muito miraculoso, transmutando em benefícios para mim todos os fracassos, derrotas e circunstâncias desagradáveis que experimentei, de modo que tudo que afetou minha vida no passado converteu-se em um ativo de grande valor.

O príncipe da sabedoria global oferece orientação nas encruzilhadas da vida sempre que fico em dúvida sobre qual estrada seguir e dá um sinal de vá em frente ou pare no que se refere a todas as minhas metas, planos e objetivos.

Existem outros guias invisíveis a meu serviço, cujos nomes não sei. Tampouco entendo por completo a plena extensão e natureza dos serviços que prestam, exceto que o que quer que eu possa precisar para tocar minha vida profissional, ou o que quer que eu possa desejar para ter paz mental contínua está sempre a meu dispor sem esforço ou ansiedade de minha parte.

Esses guias misteriosos despertaram minha atenção pela primeira vez há muitos anos, ao interromper meus planos com decidido fracasso quando me desviei de minha maior missão de vida — a missão de organizar e difundir a Ciência do Sucesso. De tempos em tempos, à medida que obtive reconhecimento do público por meu trabalho, foram-me oferecidas o que pareciam oportunidades fabulosas de comercializar meu talento e experiência. Uma dessas oportunidades foi oferecida pelo finado Ivy Lee, conselheiro de relações públicas da família Rockefeller. Embora o acordo jamais tenha se consumado, aceitei a oferta, e a simples aceitação custou-me a perda da revista *Golden Rule*, que eu havia lançado como produto secundário de minha filosofia.

Depois de deparar com um fracasso atrás do outro e a cada vez ficar tentado a abandonar ou negligenciar minha grande missão de vida, comecei a reparar que os efeitos de cada fracasso eram imediatamente varridos no momento em que eu voltava para os trilhos e começava a desempenhar minha missão. Isso aconteceu tantas vezes que não poderia ser explicado descuidadamente como mera coincidência.

A partir de experiências pessoais, sei que existem guias amigáveis disponíveis para qualquer um que queira reconhecê-los e aceitar seus serviços. A fim de aproveitar os serviços desses guias invisíveis, são necessárias duas coisas: primeiro, expressar gratidão pelos serviços deles; segundo, seguir a orientação ao pé da letra. Negligência nisso trará desastre certo — e quase sempre veloz. Talvez isso explique por que certas pessoas deparam com desastres — desastres que não acreditam ser resultado de qualquer falta da parte delas.

Por muito anos, fui tão reservado a respeito dos guias invisíveis, cuja presença havia sentido, que cuidadosamente evitei todas as referências a eles tanto em livros quanto em palestras públicas. Então um dia, em conversa com Elmer Gates, um destacado cientista e inventor, fui tomado de alegria ao saber que ele não apenas descobrira a presença dos guias invisíveis, como formara uma aliança de trabalho com eles que lhe permitira aperfeiçoar mais invenções e obter mais patentes do que as concedidas ao grande inventor Thomas Edison.

Daquele dia em diante, comecei a questionar centenas de homens de sucesso que colaboraram comigo na organização da Ciência do Sucesso e descobri que cada um deles havia recebido orientação de fontes desconhecidas, embora muitos relutassem em admitir tal fato. Minha experiência com homens de realizações pessoais de primeira grandeza revelou que eles preferem creditar o sucesso à superioridade individual.

Thomas Edison, Henry Ford, Luther Burbank, Andrew Carnegie, Elmer Gates e Alexander Graham Bell foram minuciosos na descrição de suas experiências com guias invisíveis, embora alguns não se refiram a essas fontes como "guias". Bell em especial acreditava que a força invisível de auxílio não passava de um contato direto com a Inteligência Infinita, ocasionado pelo estímulo individual de sua mente pelo desejo ardente de alcançar objetivos definidos.

Pela orientação de forças invisíveis, Madame Marie Curie foi direcionada à revelação do segredo e da fonte de suprimento de rádio, embora não soubesse de antemão onde começar a procurar o elemento químico ou como ele se pareceria caso fosse encontrado.

Thomas Edison tinha uma visão interessante da natureza e fonte das forças invisíveis que usava tão à vontade no trabalho de pesquisa no campo das invenções. Ele acreditava que todos os pensamentos emitidos por todas as pessoas em todos os tempos são captados pelo éter e se tornam parte dele, onde permanecem para sempre desde que são emitidos; que qualquer um pode sintonizar e contatar esses pensamentos previamente emitidos, condicionando a mente, mediante definição e clareza de objetivo, para contatar qualquer tipo desejado de pensamento que possa estar relacionado àquele objetivo. Por exemplo, Edison descobriu que, quando concentrava os pensamentos numa ideia que desejava aperfeiçoar, conseguia "sintonizar" e captar do grande reservatório ilimitado do éter pensamentos relacionados à ideia emitidos por pessoas que haviam pensado na mesma linha anteriormente.

Edison chamou a atenção para o fato de que a água percorre seu curso por rios e oceanos, presta uma grande variedade de serviços à humanidade e por fim retorna aos oceanos de onde veio, para ali tornar-se parte da massa de água principal, onde fica limpa e pronta para começar a jornada outra vez. Esse ir e vir da água, sem diminuição ou aumento da quantidade, possui um paralelo definitivo na energia do pensamento.

Edison acreditava que a energia com que pensamos é uma porção projetada da Inteligência Infinita; que essa inteligência se especializa em uma miríade de ideias e conceitos no cérebro do homem; e que, quando os pensamentos são emitidos, retornam ao grande reservatório de onde a energia proveio, assim como a água retorna aos oceanos, e lá são arquivados e classificados de tal maneira que todos os pensamentos afins são armazenados juntos.

Edison descartou decididamente a crença de alguns que afirmam que os guias invisíveis são pessoas que uma vez viveram na Terra e partiram. Concordo plenamente com essa conclusão, pois jamais encontrei a mais leve evidência que indique que pessoas que partiram da Terra alguma vez tenham se comunicado com os vivos. Para ser justo com aqueles que possam acreditar no contrário, admito com franqueza que isso é apenas minha opinião pessoal e que cheguei a tal opinião não por evidência, mas por falta de evidência.

Voltando as páginas da história da civilização, não há como não ficar profundamente impressionado com o fato de que, sempre que as pessoas foram acometidas por uma grande crise que ameaçou destruir as conquistas da civilização, apareceu um líder com a sabedoria interior necessária para fornecer os meios de sobrevivência e continuidade da civilização.

Tivemos evidência de que a liderança adequada sempre surge em tempos de grande crise quando os britânicos ameaçaram a liberdade do povo das colônias em 1776, na pessoa de George Washington e em seu pequeno exército de soldados mal alimentados, mal vestidos, não treinados e pouco armados.

Tivemos evidência adicional quando esta nação estava se dilacerando por conflito interno, durante a guerra entre os estados, na pessoa do grande líder Abraham Lincoln.

E tivemos ainda mais evidência nas duas guerras mundiais, quando fomos forçados a combater as forças combinadas da ciência manipuladas por bárbaros dispostos a destruir os direitos humanos e a liberdade pessoal no mundo inteiro.

Em todos esses casos sempre apareceram forças e circunstâncias invisíveis que ajudaram o certo a prevalecer sobre o errado.

E todo indivíduo nasce acompanhado de um grupo de guias invisíveis suficiente para suprir todas as suas necessidades, e com esses guias vêm penas definidas para a negligência em reconhecê-los e usá-los. As recompensas consistem principalmente na sabedoria necessária para garantir o sucesso do indivíduo no desempenho de sua missão de vida, seja qual for, e para mostrar o caminho para a mais inestimável de todas as riquezas — a paz mental.

Ao longo deste livro, descrevo o segredo supremo de todas as realizações humanas com muitas frases e exemplos. Aqueles que descobrem esse segredo recebem com ele os meios para reconhecer e colocar a seu serviço os guias invisíveis, que podem jazer latentes, aguardando o reconhecimento e a convocação para o serviço.

A presença desses guias e a evidência de seu serviço ativo em favor do indivíduo serão reconhecidas pelas melhorias e benefícios que começarão a se manifestar a partir do dia em que os guias forem reconhecidos e receberem instruções definidas.

Fantástico e impraticável, exclama alguém?

Não, "miraculoso" é uma palavra melhor, porque, ao que eu saiba, ninguém até agora explicou a fonte dos guias invisíveis ou por que são incumbidos de orientar a vida de cada pessoa. Mas existem milhares de pessoas entre os alunos da Ciência do Sucesso que sabem que os guias de fato existem porque também aprenderam o método — o segredo supremo — pelo qual a orientação pode ser adquirida.

Os guias invisíveis estão alojados naquele "outro eu" que toda pessoa possui, o eu que não se vê quando se olha no espelho, o eu que não reconhece a palavra "impossível", nem limitações de qualquer natureza que seja, o eu que é o senhor de toda dor física, toda tristeza, derrota e fracasso temporário.

Enquanto lê este livro, seu "outro eu" pode saltar das linhas em algum trecho onde você possa reconhecê-lo, se ainda não o fez. Quando chegar a esse trecho, dobre a página e marque para futura referência, pois você terá chegado a um grande momento crucial de sua vida.

Não estou pretendendo provar nada em nenhum desses comentários! Estou pretendendo apenas apresentar ao leitor o "outro eu" que, uma vez reconhecido, proporcionará todas as provas que qualquer um possa desejar. Isso é apenas outra maneira de dizer que estou tentando induzir o leitor a olhar "para dentro" em busca da resposta para o enigma da vida — a pensar por si!

Como dar instruções para o "outro eu" enquanto você dorme

Aproxima-se o tempo em que se poderá tratar enfermidades físicas, dominar complexos de inferioridade e condicionar a mente para qualquer objetivo desejado enquanto se dorme. Além disso, será possível dominar qualquer idioma desejado e adquirir educação em qualquer assunto enquanto desfrutamos de nosso sono.

Esses feitos aparentemente fantásticos serão alcançados com a ajuda de um fonógrafo especial que tocará a cada quinze minutos, enquanto se dorme, gravações com tratamentos cientificamente preparados para qualquer assunto, para qualquer objetivo desejado. A máquina foi aperfeiçoada para ter um relógio programável, que acione a gravação depois que a pessoa estiver adormecida.

O motivo para o tratamento enquanto se dorme é o seguinte: enquanto se está desperto, o setor consciente da mente mantém-se de guarda na porta de acesso ao subconsciente e modifica ou rejeita inteiramente todas as influências e instruções que se possa pretender dar ao subconsciente. E a mente consciente é uma cínica que de fraca não tem nada. Parece ser mais facilmente influenciada pelo medo, pela desconfiança e dúvida do que por influências positivas. Por isso, quaisquer diretrizes que se deseje dar ao subconsciente podem ser melhor dadas quando a mente consciente está adormecida e de folga.

O "outro eu" pode ser alcançado apenas por meio do subconsciente, e essa entidade irresistível que todos possuem é um poder misterioso associado ao — e existente no — mesmo plano que nossos guias invisíveis.

O sistema de tratamento durante o sono adapta-se especialmente ao objetivo de desenvolver traços saudáveis de caráter e eliminar hábitos indesejados nas crianças enquanto dormem, podendo ser acionado sem o conhecimento delas.

Todos os tratamentos preparatórios para cirurgias dentárias ou médicas devem ser recomendados e adotados mediante a supervisão de um dentista ou médico local.

Capítulo 5

A LINGUAGEM UNIVERSAL DA DOR
O TERCEIRO MILAGRE DA VIDA

A dor física é a linguagem universal com que a mãe natureza conversa com toda criatura da Terra e é entendida e respeitada por todos. Jamais conheci uma pessoa de mentalidade normal que não tenha pavor de dor física. Nunca ouvi falar de alguém que não tentasse evitar a dor física de todas as formas possíveis. Todavia a dor é um dos instrumentos mais sagazes da natureza, pois é o meio com que ela força os indivíduos de todos os níveis de inteligência a observar a lei da autopreservação.

Quando a dor física chama, o indivíduo responde e se empenha em remover a causa. Se ela vem na forma de dor de cabeça, o indivíduo inteligente em geral procura a causa e muitas vezes verifica que provém de envenenamento devido à eliminação inadequada das toxinas. Uma dose de sais ou um enema proporciona alívio temporário imediato.

Se o indivíduo menos inteligente experimenta uma dor de cabeça, é provável que engula uns comprimidos de aspirina e diga: "Pois então, acho que resolvi o assunto", o que em geral acontece temporariamente — não por corrigir a causa, mas por paralisar temporariamente o nervo que transmite o grito de dor desde a origem para o cérebro, onde algo pode e deve ser feito a respeito.

Quando os tipos de dor mais gentis da natureza falham em sensibilizar o indivíduo para que preste atenção ao chamado e procure a causa, a natureza geralmente o derruba e coloca de cama por meio de um afortunado feitiço de doença, enquanto fornece um serviço completo de reparo físico. A pessoa mais inteligente jamais fala da doença como um infortúnio, mas olha como uma bênção, uma espécie de misericordiosa generosidade da mãe natureza, com a qual recebe um novo arrendamento de vida em vez de um funeral.

Dor e enfermidades físicas são maldições apenas quando consideradas como tal por aqueles que não reconhecem que elas são instrumentos para o bem do homem, sem as quais ninguém poderia sobreviver em média por setenta anos.

Quando a natureza hospitaliza um indivíduo, seja em um leito de hospital em sua própria casa, ela o retira de ação para que ele possa usar todas as energias para se recuperar. Também dá a ele o descanso e tempo muito necessários para descobrir o poder e as utilidades de sua mente, bem como para engajar-se em meditação e pensamentos sobre a causa de suas enfermidades. Assim, o indivíduo pode descobrir que a causa é uma variedade de pecados que ele poderia ter evitado se tivesse ouvido a voz da dor.

Doença física é tão evidentemente uma bênção que aqueles que mandam cartões de solidariedade aos amigos enfermos deveriam em vez disso mandar cartões de congratulações, dizendo algo assim: "Congratulações pela boa sorte em ter um período abençoado de descanso, assistido pelo maior médico de todos — o doutor tempo —, que sabe do que você necessita e cuidará para que receba".

Adote essa atitude mental positiva em relação a enfermidades físicas e observe o quanto sua atitude mental funciona bem para remover a causa da enfermidade. Você então reconhecerá que dor e enfermidade físicas são bênçãos sem as quais o homem não sobreviveria por muito tempo.

Junto com a linguagem universal da dor, a natureza engenhosamente proporcionou os meios de resistência à dor e um tampão quando a capacidade de resistência é atingida, na forma de inconsciência. Quando a dor vai além da resistência humana, a pessoa simplesmente adormece em estado de inconsciência.

Existem dois tipos de dor. Um é físico, o outro é mental, existindo apenas na mente. A maioria das dores físicas são grandemente exageradas pela reação mental a elas. Em tratamentos dentários, por exemplo, a dor é aproximadamente 10% física e 90% mental. A maior parte do sofrimento dentário ocorre na forma de medo, antes do paciente estar sentado na cadeira do dentista. A técnica odontológica moderna praticamente eliminou a dor física real das cirurgias dentárias, e a psicologia moderna, como mostrado em um capítulo subsequente, varreu a dor mental do tratamento odontológico.

O domínio da dor física representa um dos maiores desafios àqueles que buscam paz mental por meio da autodisciplina. Proporciona à pessoa uma oportunidade excelente para tomar plena posse de sua mente, que é a única coisa que ela precisa fazer a fim de fazer a vida compensar nos termos de sua escolha. Torne-se senhor de seu apetite seguindo a fórmula de um capítulo subsequente — coloque o estômago sobre controle total —, e o domínio do medo da dor física não será difícil.

Os índios norte-americanos nunca tiveram medo da dor física. Originalmente, antes de serem amolecidos e corrompidos pela chegada do homem branco, os índios, quando feridos, continuavam a se movimentar e tratar de suas tarefas diárias como se nada tivesse acontecido. Seguindo a pista dos índios, hoje em dia muitos cirurgiões aconselham os pacientes submetidos a certos tipos de procedimento cirúrgico a retomar a rotina pouco depois da operação. O cirurgião reconhece, assim como os índios talvez também reconhecessem, que a natureza faz um trabalho de cura maravilhoso quando se confia nela e se aprende a cooperar com ela de modo inteligente.

Nas regiões montanhosas do Sul, há mulheres que dão à luz num dia e voltam às tarefas domésticas ou mesmo ao trabalho no campo no dia seguinte. Fazem menos estardalhaço sobre o parto do que muitas mulheres sobre uma dor de cabeça ou resfriado e não conhecem o medo da dor física!

Em tempos de guerra, não é incomum nas batalhas os homens seguirem lutando depois de gravemente feridos, muitas vezes sem sentir qualquer dor até o combate estar encerrado. Sob o estresse da batalha, a mente do soldado fica tão plenamente concentrada na tarefa em mãos que ele se ergue acima do medo da dor psicológica, por isso não sente dor até as emoções desacelerarem para o nível normal.

Usando como pista a afirmação anterior de um fato conhecido, deve ficar óbvio que a natureza dotou-nos de um maravilhoso mecanismo com o qual podemos nos elevar sobre a dor física ou mental e dominar qualquer tipo de medo, bem como superar tristezas e frustrações de qualquer espécie. A fórmula exata de como isso pode ser alcançado é claramente apresentada no capítulo que descreve como se pode preparar a mente para um tratamento dentário.

Em meus quarenta e poucos anos de experiência referente à organização e ensino da Ciência do Sucesso, tive o privilégio de entrar em contato próximo com praticamente todo tipo de problema humano conhecido e todo tipo de ser humano. Uma das lições mais impressionantes que aprendi com esses contatos íntimos consistiu no fato de que as pessoas mais bem-sucedidas, as verdadeiramente grandes, as líderes em seu campo de atividade, haviam dominado o medo da dor física e mental. Em contrapartida, observei que os fracassados e imprestáveis eram vítimas do medo da dor física e mental, muitas vezes assolados pela superstição.

A partir dessa constatação, fica evidente que existe relação direta e significativa entre o domínio da dor física e mental e a obtenção de sucesso pessoal na carreira. O fato significativo é o seguinte: o domínio da dor física e mental é uma forte indicação de que se assumiu o comando total da própria mente, sendo esta a única coisa sobre a qual o Criador proveu o homem do privilégio de controle absoluto.

No decorrer de minha pesquisa sobre as causas do sucesso e do fracasso ministrei muitos cursos para homens e mulheres de praticamente todas as condições de vida. Um dos personagens mais notáveis que já conheci foi uma viúva que participou de uma de minhas turmas em Washington, D.C. Ela perdeu o marido na Primeira Guerra Mundial. Pouco depois ficou doente e teve que passar por uma grande cirurgia. A primeira operação não foi bem-sucedida e teve que ser seguida por duas cirurgias adicionais. As despesas da doença exigiram que ela vendesse sua modesta casa. Portanto, quando saiu do hospital depois da última operação, ela não tinha onde morar. A mulher tinha dois filhos casados, mas nenhuma das esposas permitiu que ela morasse na casa delas sequer temporariamente. Ela tinha um irmão e uma irmã, e nenhum dos dois se dispôs a cuidar dela durante a convalescença.

Por fim, o pastor da igreja que ela anteriormente frequentara deu uma mão e encontrou uma vizinha que concedeu abrigo temporário. Foi quando encontrei essa mulher notável pela primeira vez, ao ser chamado na esperança de que pudesse ajudá-la a se tornar autossuficiente. Claro que era um caso de caridade, e eu não tinha intenção de cobrar nada por meus serviços, mas tive a maior surpresa de minha vida quando disse à mulher que desejava que ela se tornasse minha aluna sem qualquer custo de matrícula. Considero a resposta dela um clássico, digna de ser citada aqui:

"Você é muito bondoso", ela começou, "mas sempre acreditei que essa coisa de algo a troco de nada não existe.

"Você é um profissional e ganha a vida ensinando outras pessoas a viver de maneira adequada. Portanto, entrarei para o seu curso e me colocarei sob sua orientação apenas mediante o claro entendimento de que farei isso mediante um arranjo de pagamento posterior.

"É verdade que sofri dor física e angústia mental, mas não desisti de lutar, nem sucumbi a essas circunstâncias penosas. Não tenho recursos financeiros no presente, mas disponho de todas as minhas faculdades mentais e pretendo usar tais faculdades como o Senhor pretendeu que eu fizesse, para me libertar da escassez e de todos os tipos de medo.

"Perdi meu marido, assim como milhares de outras mulheres, e não sou melhor que elas.

"Meus filhos, meu irmão e irmã recusaram-se a dar ajuda quando mais necessitei, mas a recusa prejudicou mais a eles do que a mim, pois privou-os de serem misericordiosos com uma pessoa desamparada; todavia, a recusa deles deixou um caminho aberto pelo qual posso readquirir minha independência com o uso de minha mente.

"Não lamento pelo sofrimento que passei porque me deu o vigor moral com que vou adquirir minha liberdade no futuro.

"E", prosseguiu ela, "não quero guardar nenhum sentimento ruim contra minha família por se recusar a vir em meu socorro, pois a negligência deles proporcionou-me uma oportunidade maravilho-sa de cumprir a admoestação do Senhor de perdoar aqueles que nos

Capítulo 5 | 71

ferem: perdoe os nossos pecados assim como nós perdoamos a quem nos tem ofendido.

"Durante as adversidades pelas quais passei, encontrei a semente de um benefício equivalente. A semente consiste na descoberta do poder de minha mente e dos meios pelos quais tal poder pode tornar-se senhor da tristeza e do sofrimento.

"Mas o benefício mais maravilhoso que recebi de minhas adversidades consiste na descoberta de que o sofrimento, seja dor física ou angústia mental, coloca-nos em posição favorável para apelar ao Senhor.

"Antes de meu marido ser morto eu pertencia a uma igreja!

"Depois de deparar com adversidades sem sucumbir a elas, tornei-me cristã e agora vivo minha religião em vez de meramente aceitá-la como algo em que acreditar.

"Na verdade, na hora de meu maior sofrimento, descobri minha alma invencível! Portanto, você com certeza pode entender por que não guardo rancor contra meus parentes, pois foi pela negligência deles, mais do que por qualquer outra coisa, que fui apresentada aos poderes de minha mente.

"Não lamento por mim, mas lamento muito por meus parentes, porque não estavam prontos para acolher uma oportunidade maravilhosa de descobrir a grandeza de suas mentes pelo exercício de misericórdia por alguém que tinha o direito de esperar a ajuda deles".

Essa mulher entrou em meu curso, dominou a Ciência do Sucesso e mais tarde foi nomeada pelo presidente dos Estados Unidos para um dos mais importantes cargos do governo já ocupados por uma mulher. Mais tarde ela começou a organizar as funcionárias do governo em um curso no qual ensinava o caminho para descobrirem suas mentes, usando como base de instrução a filosofia da Ciência do Sucesso, que representa tudo que se conhece dos fundamentos da autodeterminação.

Sim, foi preciso algo mais do que três grandes cirurgias, a perda do marido, a perda dos recursos financeiros e a recusa dos parentes em prestar socorro no momento de necessidade para instigar essa brava mulher a encontrar o caminho para a fonte de todo poder em meio à adversidade e ao sofrimento mental e físico.

Ela encontrou a "semente de um benefício equivalente" que veio com seu sofrimento unicamente por sua atitude mental positiva em relação a ele! Ela descobriu o caminho para transmutar circunstâncias negativas em benefícios positivos — um privilégio que é direito de todo ser humano.

Sofrimento por dor física ou mental, decepções, frustrações e tristezas são os meios pelos quais alguém pode tornar-se grande ou sucumbir em fracasso permanente. O fator determinante dessas duas circunstâncias recai inteiramente sobre a atitude mental diante das adversidades. Para uma pessoa, elas podem parecer empecilhos. Para outra, tais como a viúva da história que você leu, tornam-se trampolins para um nível de vida mais elevado, onde a pessoa pode tornar-se senhora de tudo que observa.

A história dessa viúva não ficaria completa sem a citação de sua prece favorita:

"Não peço superabundância de coisas materiais, ó Senhor, mas apenas as coisas de que necessito. E não peço para ser aliviada da tristeza e da dor, mas apenas para que me seja mostrado como transmutá-las em sabedoria para me adaptar ao plano geral e ao propósito da vida na Terra. E não peço nenhum favor que não esteja igualmente disponível a toda humanidade. Caso eu seja ofendida por outros, peço apenas que me seja dada a força para perdoar; que a eles seja dado o privilégio de se arrepender. Por fim, peço apenas que eu seja guiada em todas as circunstâncias de minha vida de modo a me adaptar a elas favoravelmente, pelo entendimento".

Vezes sem conta, durante os quarenta e poucos anos que dediquei ao estudo do comportamento humano, observei homens e mulheres que encontraram seu patrimônio espiritual devido à dor física ou mental.

A maior mulher que já conheci, minha madrasta, passou grande parte do final de sua vida sofrendo uma dor quase insuportável por causa da artrite; todavia, pôs em prática uma iniciativa que já beneficiou muitos milhões de pessoas e está destinada a beneficiar mais incontáveis milhões, algumas ainda por nascer. Ela foi responsável por minha educação inicial, que por fim levou-me a ser incumbido por Andrew Carnegie de dar ao mundo a primeira filosofia prática de realização pessoal.

Se minha madrasta não houvesse acabado confinada a uma cadeira de rodas, ninguém suspeitaria de que vivia em dor constante. Sua voz era sempre agradável, e ela conversava apenas em uma linha de pensamento positivo. Nunca reclamava e sempre tinha uma palavra de incentivo para todos nós que vivíamos perto dela. Tenho certeza de que qualquer um que a conheceu e entendeu a extensão em que ela dominava a dor física ficaria completamente envergonhado de expressar medo de qualquer tipo de tratamento dentário ou cirurgia. A atitude mental de minha madrasta em relação à dor física foi um dos principais fatores a fazer dela uma pessoa realmente grande, amada por todos que a conheciam, invejada por alguns por causa da profunda autodisciplina.

Vemos assim, mais uma vez, que a atitude mental em relação à dor física é o fator determinante que torna a dor a "senhora" ou apenas algo a ser transmutado em algum tipo de serviço benéfico. Em vez de pensar em sua dor física e reclamar dela, minha madrasta direcionava sua mente para ajudar os outros — particularmente os membros de nossa família — e assim minimizava os efeitos de seu sofrimento. Isso pode ser uma sugestão benéfica para todos que deixam a mente presa em seus problemas.

E poderia ser benéfico também se todos que têm problemas que acreditam ser insolúveis ficassem convencidos de que a melhor maneira possível de solucionar tais problemas é olhar em volta até encontrar outra pessoa com problema semelhante ou maior e ajudá-la a encontrar a solução para o problema dela. Dessa maneira, a mente negativa é transferida do eu para o outro e transmutada em uma mente positiva, dirigida ao benefício dos outros; as chances são de mil para um de que, na ocasião em que o problema do outro for solucionado, a pessoa terá encontrado a solução para o problema dela.

Uma mente positiva é um poder praticamente irresistível que pode ser dirigido para a obtenção de qualquer objetivo desejado, inclusive, é claro, o domínio da dor mental e da dor física. Devo lembrá-lo mais uma vez: uma mente positiva é também a primeira das 12 grandes riquezas da vida.

A fórmula para a manutenção de uma mente positiva é descrita com clareza em um capítulo subsequente. Domine a fórmula, aprenda a aplicá-la e você não mais terá medo de dor física ou mental. De fato, você não terá mais medo de coisa alguma. Você não se prenderá mais em um nível de mediocridade por limitações autoimpostas a respeito de sua ocupação ou de qualquer aspecto da vida. Você não precisará mais da ajuda de ninguém, mas estará em posição de conceder ajuda a muitos.

A maioria das pessoas condena-se à prisão por toda a vida, não obstante carregue as chaves da prisão sem saber. A prisão consiste em limitações autoimpostas que o indivíduo estabelece na mente ou permite que outros o façam. As chaves consistem no poder que todos receberam do Criador para tomar plena posse da mente e direcioná-la para a solução de todos os problemas, para a realização de todos os fins desejados.

Aqueles que exercem essa prerrogativa inexorável e tomam plena posse de sua mente jamais têm medo de nada, nunca limitam-se na obtenção dos fins desejados e atraem para si, com facilidade, uma superabundância de tudo que representa sucesso individual.

Lembre-se: onde quer que paire a gralha-preta do medo, existe algo adormecido que precisa ser despertado, ou algo morto que precisa ser sepultado. Uma das mais estranhas anomalias da vida é a ausência de medo ser a principal causa de sucesso individual, e não a educação formal ou o brilhantismo mental.

O medo de qualquer tipo não só é o maior causador de fracasso na carreira, como também é o principal motivo para as orações trazerem apenas resultados negativos. O oposto do medo é a fé, e a fé é a senhora de tudo que não se quer e o meio de se alcançar tudo que se deseja.

A única coisa que possibilita a um indivíduo elevar-se acima do medo de qualquer enfermidade física é reconhecer que possui uma mente sem limitações, exceto aquelas que ele mesmo cria.

Há pouco tempo, o dentista que fez minhas dentaduras contou para outro paciente como enfrentei a cirurgia dentária e tive todos os meus dentes extraídos sem dor ou desconforto. O paciente era um pastor, todavia expressou dúvida de que alguém conseguisse fazer isso. Fico imaginando que tipo de pastor ele é realmente. A maioria dos pastores sabe que o poder da mente não tem limites quando estimulado pela fé. E todo médico e dentista sabe que, na maioria dos casos, o medo fere mais o paciente do que a enfermidade física de que ele sofre.

Posso conjeturar que médicos e dentistas vão saudar a chegada deste livro que ensina como condicionar a mente para tratamento dentário ou cirurgia a fim de livrar o paciente do medo. O livro será saudado porque abrandará o fardo de médicos e dentistas cujos pacientes seguirem os conselhos apresentados, bem como aliviará os pacientes do sofrimento que experimentam por causa do medo.

Embora seja verdade que a dor física é a linguagem universal com que a natureza fala com todos os seres vivos, também é verdade que essa linguagem dispõe de um dispositivo engenhoso para garantir que o indivíduo possa aceitar a orientação da dor sem sucumbir a ela. Quando a dor física torna-se maior do que o indivíduo possa suportar, a natureza coloca-o para dormir, o que prova mais uma vez que a natureza mantém o equilíbrio em todas as coisas e jamais permite que alguém sofra nenhum tipo de dano ou desconforto sem proporcionar os meios de cura.

Tendo esse importante conhecimento dos caminhos da natureza como ponto de partida, os médicos praticamente tiraram o medo da dor no parto por meio de um sistema conhecido como "sono crepuscular", que induz a paciente a um estado de semiconsciência. O sono crepuscular pode ser induzido por injeções hipodérmicas brandas e indolores ou por tratamento com terapia sugestiva (hipnose parcial).

Pela aplicação de hipnose, a mente consciente pode ser temporariamente posta de lado, e o médico pode dar diretrizes ao paciente via subconsciente. Com esse tipo de tratamento, pode dar-se ao subconsciente qualquer diretriz de que o indivíduo necessite para ajudar na recuperação da dor física ou de qualquer condição mental que esteja causando aflição, inclusive todos os tipos de medo, claro.

A hipnose é mais uma das sagazes salvaguardas que a natureza providenciou para a proteção do indivíduo contra a dor mental e física, bem como um meio pelo qual se pode condicionar a mente para atingir qualquer objetivo desejado, tais como riqueza e prosperidade financeira em substituição à pobreza.

A autossugestão (auto-hipnose) é usada constantemente por todas as pessoas, o tempo todo, quer reconheçam o fato ou não, e a parte triste desta verdade é que a maioria das pessoas utiliza esse poderoso instrumento inconscientemente de maneira negativa, o que traz pobreza, problemas de saúde, infelicidade, medo e limitações autoimpostas de quase todos os tipos concebíveis. Essa aplicação negativa da autossugestão ocorre quando um indivíduo deixa-se assediar por medos e preocupações que mantêm sua mente nas circunstâncias e coisas que ele não deseja.

A aplicação positiva da autossugestão para fixar na mente as circunstâncias e coisas que se deseja é mais plenamente descrita nos capítulos subsequentes. A fórmula para se atingir esse fim é simples e está sempre sob o controle direto do indivíduo.

Quando a autossugestão é aplicada por duas ou mais pessoas trabalhando em perfeita harmonia para atingir um objetivo definido, como no caso de marido e mulher no intercurso sexual, os resultados com frequência beiram o miraculoso.

Ao avançar na leitura dos capítulos, o autor deseja que você fique plenamente familiarizado com determinadas forças importantes. Algumas delas são:

1. AUTOSSUGESTÃO: meio pelo qual pode-se dar diretrizes à mente subconsciente a respeito de qualquer objetivo desejado pelo simples processo de conferir emoção aos desejos e repeti-los com frequência, conforme será explicado nos próximos capítulos.

2. TRANSMUTAÇÃO: o ato de transformar uma forma, substância ou pensamento em outra coisa, tal como desviar a mente de

pensamentos sobre medo, infelicidade e pobreza para pensamentos sobre afluência, felicidade e sucesso. Um tipo poderoso de transmutação pode ocorrer quando se começa a procurar a "semente de um benefício equivalente" em todas as circunstâncias desagradáveis e direcionar a mente para o desenvolvimento dessa semente em vez de deixá-la ruminar sobre a circunstância que produziu a semente.

3. MASTERMIND: a aliança de duas ou mais mentes, em estado de perfeita harmonia, para alcançar objetivos definidos. A mais forte aliança de MasterMind é aquela entre um homem e sua esposa.

4. AUTO-HIPNOSE: a hipnose é um instrumento sagaz, proporcionado pela natureza, com o qual se pode condicionar a mente para atingir qualquer finalidade desejada. É o meio pelo qual o indivíduo pode tomar posse de sua mente e dirigi-la para fins positivos ou negativos. A mente é a única coisa que o Criador concedeu ao homem com o privilégio de controle exclusivo, e a autossugestão, ou auto-hipnose, é o meio que pode transformar esse privilégio em maldição ou bênção, dependendo de como é adotado e utilizado.

A auto-hipnose é uma das principais técnicas do autor para condicionar a mente de milhões de pessoas visando a obtenção de prosperidade financeira e a paz mental.

5. SUBCONSCIENTE: a parte subconsciente da mente consiste em uma região do cérebro que atua como um sexto sentido ou portal para a Inteligência Infinita. Esse portal pode ser aberto e usado sem limitação em qualquer objetivo desejado, com o auxílio da fórmula apresentada em um capítulo subsequente. É por esse portal que todas as preces devem passar. Tenha em mente o importante fato de que é por esse portal (às vezes deixado aberto de modo descuidado) que os pensamentos negativos emitidos por outras pessoas podem entrar

na mente e causar fracasso, preocupação, derrota e enfermidades mentais e físicas.

O sexto sentido, operando pela mente subconsciente, é uma estação transmissora e um equipamento receptor de vibrações do pensamento, e é responsabilidade do indivíduo guardar-se contra os pensamentos negativos de outrem captados constantemente pelo receptor e também proteger as outras pessoas, abstendo-se de emitir quaisquer pensamentos de natureza negativa pela estação transmissora.

O único plano seguro para o incremento do bem-estar próprio e a proteção dos outros é manter a mente tão ocupada transmitindo pensamentos positivos que não sobre tempo para emitir pensamentos negativos, pois, tão certo quanto a noite segue o dia, quaisquer pensamentos que se emite voltam grandemente multiplicados, para abençoar ou amaldiçoar.

Um grande filósofo afirmou essa verdade profunda de modo muito sucinto quando disse: "O que quer que você faça para ou por alguém, pelos pensamentos que emite, você faz para ou por si mesmo". Portanto, o melhor método de se proteger contra o influxo de pensamentos negativos emitidos por outras pessoas é manter a estação transmissora tão ocupada emitindo pensamentos positivos que não haja tempo disponível para receber pensamentos negativos. Esse método é imbatível, prático e está sob o controle do indivíduo.

Pensamentos negativos emitidos por outras pessoas podem entrar na mente por meio do sexto sentido, mas, pela autossugestão, podem ser instantaneamente transmutados em pensamentos positivos e direcionados para a obtenção de circunstâncias e coisas que se deseje. Esse é o tipo mais benéfico de transmutação conhecido pelo homem, e com ele o indivíduo pode tomar plena posse de sua mente.

Não fuja dos termos "autossugestão" e "auto-hipnose" porque não os entende. A simples verdade é que você usa esses princípios constantemente, quer reconheça ou não. Portanto, em vez de usá-los às cegas, para fins destrutivos, é melhor incorporá-los e usá-los de modo consciente para atingir finalidades desejáveis.

A autossugestão, que traz tanta derrota e fracasso a tanta gente, também contém os potenciais de triunfo e sucesso, quando entendida e aplicada com definição de propósito.

Capítulo 6

CRESCIMENTO PELO ESFORÇO
O QUARTO MILAGRE DA VIDA

A necessidade de esforço é um dos sagazes instrumentos com que a natureza força o indivíduo a se expandir, progredir e ficar forte a partir da resistência. O esforço pode tornar-se — e de fato torna-se — uma provação ou uma experiência magnífica para se expressar gratidão pela oportunidade de conquistar a causa de tal esforço.

Do nascimento à morte, a vida é um registro literalmente ininterrupto de uma variedade sempre crescente de esforços que nenhum indivíduo consegue evitar.

O domínio da ignorância exige esforço. A educação envolve esforço permanente, e todo dia é dia de começar porque a educação é cumulativa. É um trabalho para a vida toda.

A acumulação de riqueza material necessita de enorme quantidade de esforço; tanto que muitos indivíduos de fato se matam cedo na vida devido à ansiedade e ao excesso de esforço para adquirir mais dinheiro do que precisam.

A manutenção da boa saúde física requer esforço permanente contra os inimigos de múltiplas faces da boa saúde: esforço por comida e abrigo, esforço por uma oportunidade de ganhar a vida, esforço para manter um emprego, esforço para obter reconhecimento na profissão, esforço para evitar a falência de um negócio.

Em qualquer direção que se olhe, verifica-se que raras são as circunstâncias da vida cotidiana que não exijam esforço a fim de que o indivíduo sobreviva.

Somos forçados a reconhecer que essa grande necessidade universal de esforço deve ter um propósito definido e útil. Esse propósito é forçar o aguçamento das aptidões, incitar entusiasmo, fortalecer o espírito de fé, gerar definição de propósito, desenvolver força de vontade e inspirar a imaginação a fornecer novos usos para velhas ideias e conceitos, a fim de que com isso o indivíduo possa cumprir a missão desconhecida para a qual pode ter nascido.

O esforço impede o homem de dormir em estado de autossatisfação ou preguiça e força ao alto e avante no cumprimento da missão de vida; assim sendo, ele dá sua contribuição individual a qualquer que seja o propósito universal da humanidade na Terra.

Força, tanto física quanto espiritual, é produto do esforço!

"Faça a coisa", disse Emerson, "e você terá o poder".

Encare o esforço e o domine, diz a natureza, e você terá força e sabedoria suficientes para todas as suas necessidades.

Se você deseja um braço forte, diz a natureza, promova seu uso sistemático sob o peso de um martelo de 1,5 quilo e logo terá músculos semelhantes a tiras de aço. Se você não deseja um braço forte, diz a natureza, prenda-o numa tipoia, tire-o de uso, remova a causa de esforço, e sua força irá definhar e morrer.

Em toda forma de vida, atrofia e morte provêm da ociosidade! A única coisa que a natureza não tolera é ociosidade. Com a necessidade de esforço e a lei da mudança, a natureza mantém tudo por todo o universo em estado de fluxo constante. Nada, dos elétrons e prótons da matéria aos sóis e planetas que flutuam pelo espaço, jamais está parado por um único segundo. O lema da natureza é: siga em movimento ou pereça! Não existem meio-termo, transigência ou exceções por nenhum motivo que seja.

E, caso duvide de que a natureza pretende que cada indivíduo continue se esforçando ou pereça, observe o que ocorre com a pessoa que faz fortuna e se "aposenta" — desiste do esforço porque acredita não ser mais necessário.

As árvores mais fortes não são aquelas fortemente protegidas na floresta, mas as que ficam em espaço aberto, em luta constante com o vento e todos os elementos climáticos.

Meu avô era fabricante de carroças. Ao limpar o campo para a lavoura, ele sempre deixava alguns carvalhos em campo aberto, onde podiam enrijecer por ficarem expostos. Mais tarde ele cortava as árvores e usava a madeira nas pinas das rodas de carroça — esta madeira podia ser vergada em segmentos, em formato de arco, sem quebrar no processo. Ele verificou que as árvores protegidas pela floresta não produziam o tipo de madeira exigida. Sua madeira era mole e quebradiça demais porque não era submetida a esforço — o mesmíssimo motivo porque pessoas são "moles" e despreparadas para lidar com as resistências da vida.

A maioria das pessoas seguem pela vida na linha da menor resistência em todas as circunstâncias onde existe possibilidade de escolha. Não percebem que seguir a linha da menor resistência entorta todos os rios — e alguns homens!

Pode haver certa dor na maior parte dos tipos de esforço, mas a natureza compensa o indivíduo com poder, força e sabedoria oriundas da experiência prática.

Enquanto organizava a filosofia da Ciência do Sucesso, fiz a descoberta reveladora de que todos os líderes mais bem-sucedidos em toda vocação, profissão e classe social haviam obtido sua liderança quase que na exata medida do esforço para chegar a tal liderança.

Observei com profundo interesse que nenhum homem que não tenha sido inteiramente testado pela necessidade de se esforçar parece ter sido escolhido como líder em tempos de grandes crises desde a idade da pedra até a nossa atual civilização.

O estudo cuidadoso do histórico completo da civilização, da idade das cavernas até hoje, mostra claramente que a civilização é produto do esforço permanente. Sim, o esforço decididamente é um dos instrumentos do Criador para forçar os indivíduos a reagir à lei da mudança a fim de que o plano geral do universo seja levado a cabo.

Quando qualquer indivíduo acomoda-se no estado mental disposto a aceitar a generosidade do governo em vez de suprir suas necessidades pela iniciativa pessoal, este indivíduo está na estrada para a decadência e a cegueira espiritual. Quando a maioria das pessoas de qualquer nação desiste do direito hereditário exclusivo de fazer seu caminho por meio do esforço, a história mostra claramente que a nação inteira entra em uma espiral de decadência que inevitavelmente deve acabar em extinção.

O indivíduo que não apenas está disposto a viver da ajuda do governo, mas exige ser mantido por ele, já está morto espiritualmente. O corpo físico ainda funciona, mas é apenas uma casca oca, cuja única esperança para o futuro é um funeral. Isso, é claro, refere-se apenas a pessoas com corpos aptos que abandonam o esforço porque são por demais indiferentes ou por demais preguiçosas para continuar crescendo pela lei da mudança e mediante o ímpeto para se esforçar.

Por vinte e poucos anos fui forçado a me esforçar para dominar problemas acidentais no trabalho de organizar a primeira filosofia prática de sucesso do mundo. Primeiro, fui obrigado ao esforço de me preparar com conhecimento necessário para produzir a filosofia. Em segundo lugar, fui obrigado ao esforço para me sustentar enquanto fazia a pesquisa necessária para organizar a filosofia. A seguir deparei com necessidade de esforço ainda maior enquanto obtinha reconhecimento mundial para mim e para a filosofia.

Vinte anos de esforço sem qualquer compensação financeira direta não é uma experiência fadada a proporcionar fé sustentada, mas foi o preço que tive que pagar por uma filosofia destinada a beneficiar incontável número de pessoas, muitas das quais sequer nascidas quando comecei meu trabalho.

Desanimador? Desolador? De jeito nenhum, pois desde o princípio reconheci que do meu esforço viriam o triunfo e a vitória na proporção do trabalho árduo investido em minha tarefa. Não me decepcionei no que concerne a essa esperança; fiquei foi impressionado com a generosidade com que o mundo respondeu e me prestou tributo pelos longos anos de esforço dispendidos no trabalho.

Além disso, obtive de meu esforço algo ainda maior e de mais valor. Foi o reconhecimento de que, por meus esforços, cheguei às profundezas dos mananciais espirituais de minha alma e lá encontrei poderes disponíveis a qualquer objetivo que eu possa desejar — poderes que nunca soube que possuía e que jamais teria descoberto a não ser por meio do esforço!

Por meus esforços, descobri e aprendi como fazer uso dos oito príncipes mágicos da orientação descritos em um capítulo anterior — os amigos invisíveis que administram todas as minhas necessidades físicas, financeiras e espirituais, que trabalham para mim enquanto durmo e enquanto estou desperto.

Foi graças também aos meus esforços que me foi revelada a grande lei da força cósmica do hábito (a lei que fixa todos os hábitos, a controladora de todas as leis naturais), a lei que enfim levou-me a ficar pronto para dar ao mundo o benefício de minhas experiências obtidas mediante esforço.

A partir de minhas experiências com o esforço descobri que o Criador jamais seleciona um indivíduo para um serviço importante para a humanidade sem primeiro testá-lo, pelo esforço, na proporção do serviço que ele deve prestar. Assim, pelo esforço, aprendi a interpretar as leis, propósitos e planos de trabalho do Criador no que se refere a mim e à humanidade em geral.

Quais os maiores benefícios que se poderia desejar do esforço?

Quais as maiores recompensas que se poderia obter de qualquer outra causa?

Analisei brevemente apenas quatro milagres da vida, mas estes não são de modo algum os milagres mais importantes a serem inspecionados por nós na viagem pelo Vale do Reino Encantado da Natureza.

Entretanto, em nossa viagem vimos o suficiente para nos convencermos de que existe o bem em todas as circunstâncias que tocam ou influenciam nossa vida, sejam circunstâncias sobre as quais tenhamos total controle ou que não tenhamos controle, exceto o controle de nossa reação mental a elas.

Ao prosseguirmos a viagem pelos próximos capítulos, nossa mente deve desdobrar-se até reconhecer que circunstâncias que talvez consideremos desagradáveis podem fazer parte do plano geral do Criador relacionado ao destino humano neste mundo. O principal objetivo deste capítulo é ampliar a mente para que possa abarcar e visionar fatos importantes da vida, além daqueles de interesse imediato do indivíduo.

A paz mental não é possível sem essa capacidade de visão panorâmica de todo o cenário e propósito da vida. Devemos reconhecer que nossa encarnação individual, pela qual somos lançados neste mundo material sem cerimônia e sem o nosso consentimento, tem um propósito acima e além de nossos prazeres e desejos individuais.

Uma vez entendido esse propósito mais amplo da vida, nos reconciliamos com as experiências de esforço que devemos enfrentar enquanto percorremos esse caminho e as aceitamos como circunstâncias de oportunidade com as quais podemos nos preparar para planos de existência ainda mais elevados e melhores do que este em que agora habitamos.

Capítulo 7

O DOMÍNIO DA POBREZA
O QUINTO MILAGRE DA VIDA

A pobreza é resultado de uma condição mental negativa que praticamente toda pessoa experimenta uma vez ou outra. É o primeiro e mais desastroso dos sete medos básicos, mas é apenas um estado mental e, como os outros seis medos, está sujeito ao controle do indivíduo.

O fato de que uma grande parte das pessoas nascem em ambiente de pobreza, aceitam-na como inescapável e seguem nela a vida inteira indica o quanto a pobreza é um fator potente na vida das pessoas. É bem possível que a pobreza seja um dos instrumentos de teste do Criador para separar os fracos dos fortes, pois é notável que quem domina a pobreza fica rico não só em coisas materiais, mas também rico e muitas vezes sábio em valores espirituais.

Observei que os homens que dominaram a pobreza invariavelmente têm uma fé intensa em sua capacidade de dominar praticamente tudo o mais que esteja no caminho de seu progresso, enquanto que aqueles que aceitaram a pobreza como inescapável mostram sinais de fraqueza em muitos outros aspectos. Nunca conheci ninguém que tenha aceitado a pobreza como inevitável e que não tenha fracassado também em exercer a grande dádiva do poder de tomar posse de seu poder mental (como o Criador pretendeu que todas as pessoas fizessem).

Todas as pessoas passam por períodos de teste ao longo da vida, sob muitas circunstâncias, o que revela claramente se aceitaram e usaram a grande dádiva do controle exclusivo de seu poder mental ou não. Tenho observado também que essa grande dádiva do infinito é acompanhada de penas pela negligência na adoção e uso da dádiva e de nítidas recompensas pelo reconhecimento e uso.

Uma das mais importantes recompensas pelo uso consiste na libertação total dos sete medos básicos e de todos os medos menores, com o pleno acesso ao poder mágico da fé no lugar desses medos.

As penas pela negligência em adotar e usar a grande dádiva são vastas. Somados aos sete medos básicos existem muitos outros prejuízos. Uma das maiores penas pelo fracasso em usar a grande dádiva é a total impossibilidade de alcançar a paz mental.

A pobreza tem muitos méritos se e quando o indivíduo relaciona-se com ela com uma atitude mental positiva, em vez de se submeter à falsa crença de que ela é inevitável ou à atitude preguiçosa de que não vale a pena lutar contra ela. A pobreza pode ser um dos instrumentos com que o Criador força o homem a aguçar suas aptidões, despertar o próprio entusiasmo, agir por iniciativa pessoal e travar uma luta decidida contra as forças que se opõem a ele a fim de poder sobreviver.

A pobreza também pode ser um instrumento do Criador para manobrar o homem a um estado mental no qual ele finalmente se descobre por dentro. Em um grande país como os Estados Unidos, não existe motivo válido para qualquer pessoa mentalmente apta aceitar a escravidão da pobreza e nela ficar presa. Aqui, como em nenhum outro lugar do mundo, existe um campo de treinamento em liberdade pessoal que oferece a cada indivíduo as melhores oportunidades para adotar e usar a grande dádiva do direito de moldar seu destino terreno e alcançá-lo. E aqui, como em nenhum outro lugar, o indivíduo é provido de todos os motivos concebíveis para adotar e usar a grande dádiva. A recompensa é tão grande que o indivíduo pode literalmente estabelecer o valor dela.

A melhor evidência de que o destino sorri para quem nasce na pobreza consiste no fato bem conhecido de que muito raramente um indivíduo nascido em grande riqueza faz alguma contribuição notável para tornar o mundo um lugar melhor para a humanidade. Muitos filhos de gente muito rica, que jamais tiveram o benefício da influência maturadora da pobreza ou do esforço, com frequência crescem "moles" e carecendo da resistência necessária ou de motivo para se tornarem úteis.

Quando a fortuna sorri para alguém que tem grande riqueza, geralmente escolhe apenas quem criou sua riqueza por meio de serviço útil — não quem herdou ou arranjou riqueza causando danos a outros. A fortuna decididamente fecha a cara para toda riqueza mal adquirida e muitas vezes faz com que se evapore misteriosamente.

A pobreza torna-se uma maldição ou uma bênção dependendo inteiramente do modo como o indivíduo lida com ela. Se é aceita com espírito dócil, como uma deficiência inevitável, torna-se isso mesmo. Se a pobreza é aceita como mero desafio para o indivíduo combatê-la a seu modo e dominá-la, torna-se então uma bênção — de fato, um dos grandes milagres da vida. A pobreza pode tornar-se tanto um empecilho quanto um trampolim para alçar o indivíduo a quaisquer alturas de realização em que ele coloque seu coração, dependendo inteiramente da atitude mental e de sua reação.

Pobreza e riqueza consistem em um estado mental! Seguem exatamente o padrão que o indivíduo cria e visualiza com os pensamentos dominantes que expressa. Pensamentos de pobreza atraem sua contraparte material. Pensamentos de riqueza igualmente atraem sua contraparte material. A lei da atração harmoniosa traduz todos os pensamentos em suas contrapartes materiais. Essa grande verdade explica por que a maioria das pessoas experimenta infelicidade e pobreza ao longo da vida. Elas permitem que a mente tenha medo da infelicidade e da pobreza, e seus pensamentos dominantes são a respeito dessas circunstâncias. A lei da atração harmoniosa assume o comando e traz o que elas esperam.

Quando eu era pequeno, ouvi um discurso muito impactante sobre a pobreza, que deixou impressão duradoura em minha mente, e estou certo de que esse discurso foi responsável por minha determinação em dominar a pobreza, a despeito de ter nascido na pobreza e jamais ter conhecido nada a não ser pobreza. O discurso foi feito por minha madrasta pouco depois de vir para nossa casa e assumir um dos locais mais abandonados e assolados pela pobreza que já conheci.

O discurso foi o seguinte:

"Esse lugar que chamamos de lar é uma desgraça para todos nós e uma desvantagem para nossos filhos. Somos pessoas fisicamente aptas e não há necessidade de aceitarmos a pobreza quando sabemos que ela é resultado de nada mais do que preguiça ou indiferença.

"Se ficarmos aqui e aceitarmos as condições em que vivemos hoje, nossos filhos vão crescer e aceitar essas condições também. Eu não gosto da pobreza, nunca aceitei a pobreza como meu quinhão e não vou aceitar agora!

"De momento não sei qual será o nosso primeiro passo para nos livrarmos da pobreza, mas uma coisa eu sei: vamos nos livrar dela com sucesso, não importa o quanto demore, nem quantos sacrifícios tenhamos que fazer. Pretendo que nossos filhos tenham a vantagem de uma boa educação, mas, mais que isso, pretendo que sejam inspirados pela ambição de dominar a pobreza.

"Pobreza é uma doença que, uma vez aceita, torna-se uma fixação que é difícil de lançar fora.

"Não é desgraça nascer na pobreza, mas muito decididamente é uma desgraça aceitar esse direito de nascimento como irrevogável.

"Vivemos no maior e mais rico país que a civilização já produziu. Aqui a oportunidade acena para todos que têm a ambição de reconhecê-la e adotá-la e, no que diz respeito a essa família, se ela não acenar para nós, criaremos nossa própria oportunidade de escapar desse tipo de vida.

"A pobreza é como paralisia progressiva! Lentamente destrói o desejo de liberdade, destitui da ambição de se desfrutar coisas melhores da vida e solapa a iniciativa pessoal. Também condiciona a mente a aceitar uma miríade de medos, inclusive o medo de problemas de saúde, medo da crítica e medo de dor física.

"Nossos filhos são jovens demais para conhecer os perigos de aceitar a pobreza como a sina deles, mas vou cuidar para fiquem cientes desses perigos e também vou cuidar para que fiquem cientes da prosperidade, que esperem a prosperidade e fiquem dispostos a pagar o preço da prosperidade".

Citei o discurso de memória, mas é substancialmente o que minha madrasta disse a meu pai na minha presença pouco depois de terem casado. Aquele "primeiro passo" para se livrar da pobreza que ela mencionou no discurso ocorreu quando minha madrasta inspirou meu pai a ingressar na Faculdade de Odontologia de Louisville e se tornar dentista e pagou os estudos dele com o dinheiro do seguro de vida que ela recebeu pela morte do primeiro marido.

Com a renda daquele investimento em meu pai, ela mandou os três filhos e meu irmão mais novo para a faculdade e iniciou cada um na estrada para o domínio da pobreza.

Quanto a mim, ela foi essencial para me situar na posição em que o finado Andrew Carnegie me deu uma oportunidade que nenhum outro autor jamais recebeu — oportunidade que me permitiu aprender com os mais de quinhentos homens bem-sucedidos que colaboraram comigo para dar ao mundo uma filosofia prática de realização pessoal. Uma filosofia baseada no "know-how" de meus colaboradores, adquirido a partir de suas experiências de vida.

Embora estime-se que minha contribuição pessoal para a posteridade tenha beneficiado milhões de pessoas em dois terços do mundo, o crédito desse feito realmente tem início no discurso histórico de minha madrasta repudiando a pobreza.

Vemos, portanto, que a pobreza pode ser a inspiração para o planejamento e realização de grandes objetivos. Minha madrasta não temia a pobreza, não gostava dela e se recusou a aceitá-la. E o Criador parece de algum modo favorecer àqueles que sabem exatamente o que querem e o que não querem. Minha madrasta era desse tipo. Se ela tivesse aceitado a pobreza ou temido a pobreza, as linhas que você está lendo agora jamais teriam sido escritas.

A pobreza é uma grande experiência, mas algo para se experimentar e então dominar antes que destrua a vontade de se ser livre e independente. A pessoa que nunca experimentou a pobreza talvez seja digna de pena, mas a pessoa que experimentou a pobreza e a aceitou como sina é ainda mais digna de pena, pois condenou-se à escravidão eterna.

A maioria dos homens e mulheres realmente grandes ao longo da civilização conheceram a pobreza, mas a experimentaram, renunciaram a ela, dominaram-na e se libertaram. Do contrário nunca teriam se tornado grandes. Qualquer um que aceite da vida qualquer coisa que não queira não é livre. O Criador proporcionou a todas as pessoas os meios para determinarem seu destino neste mundo em larga medida, consistindo tais meios no privilégio de se libertar das coisas que não são desejáveis.

A pobreza pode ser uma enorme bênção. Também pode ser uma maldição para a vida toda. O fator determinante consiste na atitude mental em relação a ela. Se é aceita como um desafio que requer o máximo esforço, é uma bênção. Se é aceita como uma desvantagem inevitável, é uma maldição duradoura.

Lembre que o medo da pobreza traz consigo um bando de medos associados, inclusive o medo da dor física e mental.

Existe uma história de um homem que morreu e foi para o inferno. Durante os exames de admissão, Satã perguntou: "Do que você mais tem medo?". O homem respondeu: "Não tenho medo de nada".

"Então", retrucou Satã, "você está no lugar errado. Só acomodamos clientes limitados por medos".

Pense nisso! Não existe lugar no inferno para a pessoa que não tem medos.

Não tem vez em que eu ouça a palavra "medo" e não lembre de uma história contada por Reuben Darby, da companhia de seguros Mutual Life, de Massachusetts. Quando ele era menino, o tio operava um moinho de grãos em uma plantação de Maryland onde vivia uma família arrendatária negra. Um dia, uma criança de dez anos da família negra foi enviada ao moinho para pedir 50 centavos para o dono da plantação.

O proprietário ergueu os olhos do trabalho, viu a menina negra parada a uma distância respeitosa e questionou: "O que você quer?".

Sem se mexer do lugar, a criança respondeu: "Minha mãe disse para mandar 50 centavos para ela".

Com voz ameaçadora e uma carranca, o dono do moinho respondeu em tom brusco: "Não mandarei coisa nenhuma! Agora corra de volta para casa ou vou passar o chicote em você", e continuou com o trabalho.

Pouco depois, olhou de novo e viu a menina ainda parada ali. Agarrou um porrete, acenou na direção da criança e disse: "Se você não sair daqui, vou usar isso em você. Agora, vá andando antes que eu —", mas não terminou a frase, porque dessa vez a criança negra precipitou-se até ele, esticou o rosto para cima e berrou a plenos pulmões: "Minha mãe quer 50 centavos!".

Lentamente, o dono do moinho largou o porrete, meteu a mão no bolso, tirou 50 centavos e entregou à criança. Ela agarrou o dinheiro, recuou ligeira para a porta, abriu-a e então correu como uma gazela, enquanto o dono do moinho ficou parado de olhos arregalados e boca aberta, refletindo sobre a misteriosa experiência em que uma criança negra subjugou-o e saiu impune — algo que não se esperava que os negros na terra dele fizessem.

Na verdade, o medo pode ser transformado em coragem — fato que a criança demonstrou da maneira mais convincente.

De modo semelhante, a pobreza pode ser transmutada em riqueza e feitos dignos de nota — fato que minha madrasta demonstrou de modo impressionante ao erguer nossa família tanto da pobreza quanto do desespero. Ela reconheceu que nenhuma pessoa que tome posse de sua mente e a direcione para finalidades definidas precisa permanecer vítima da pobreza ou de qualquer coisa que não deseje.

A diferença entre a pobreza e a riqueza não é medida somente em dinheiro ou bens materiais. Existem 12 grandes riquezas, e 11 delas não são materiais, mas estão intimamente relacionadas às forças espirituais à disposição da humanidade. A fim de que se possa ter uma ideia de como proceder para transmutar pobreza em riqueza, as 12 riquezas são descritas brevemente a seguir.

As 12 grandes riquezas da vida

Atribua notas a si mesmo: perfeito, razoável ou pobre.

1. ATITUDE MENTAL POSITIVA

A atitude mental positiva encabeça a lista das 12 grandes riquezas porque todas as riquezas, materiais ou não, começam como um estado mental, a primeira e única coisa sobre a qual o indivíduo tem poder de controle total e inalienável. A atitude mental fornece a "força de tração" que atrai o equivalente material de todos os medos, desejos, dúvidas e crenças. A atitude mental também é o fator que determina se as preces trarão resultados positivos ou negativos. É de causar pouco espanto, portanto, que a atitude mental positiva encabece a lista de todas as grandes riquezas da vida.

2. BOA SAÚDE FÍSICA

A boa saúde começa com uma "consciência de saúde", produto de uma mente que pensa em termos de saúde e não em termos de doença, mais temperança e moderação ao comer e no equilíbrio das atividades físicas. A manutenção de uma atitude mental positiva é um dos grandes meios conhecidos pela humanidade para se evitar problemas de saúde. É classificada como "grande" porque está sob o controle pessoal e sujeita o tempo todo a direcionamento para qualquer finalidade desejada.

3. HARMONIA NAS RELAÇÕES HUMANAS

Existem dois tipos de harmonia, e ambos são exigidos para classificar a harmonia como uma das 12 grandes riquezas da vida: harmonia consigo mesmo e harmonia com os outros. A primeira responsabilidade do indivíduo é estabelecer a harmonia interna. Isso requer o domínio do medo, a manutenção de uma atitude mental positiva e a adoção de um objetivo de vida principal, por trás do qual se possa construir uma fé duradoura em sua realização. Fique em paz com a sua alma e você não terá dificuldade em se relacionar em espírito de harmonia com os outros. O atrito nas relações humanas com frequência é resultado de confusão, frustração, medo e dúvida dentro do indivíduo, que muitas vezes espelha esses estados mentais negativos em outras pessoas, tornando assim impossível a harmonia.

A harmonia com os outros começa pela harmonia consigo mesmo, pois a verdade é, como disse Shakespeare: "Seja verdadeiro consigo e disto se seguirá, como o dia segue a noite, não poder ser falso com ninguém". Grandes benefícios estão disponíveis para aqueles que observam essa advertência.

4. LIBERDADE DO MEDO

Nenhum homem escravizado pelo medo é rico, tampouco é livre. O medo é o prenúncio do mal, um insulto ao Criador que proveu o homem de meios para rejeitar tudo que não seja desejado, dando ao homem controle total sobre seu poder mental. Antes de atribuir-se nota no quesito liberdade do medo, certifique-se de sondar sua alma em profundidade e se assegurar de que nenhum dos sete medos básicos está escondido dentro de você. E lembre: quando os sete medos básicos tiverem sido transmutados em fé, você terá chegado ao estágio de vida onde pode tomar posse de sua mente e com isso adquirir tudo que deseja na vida, bem como rejeitar tudo que não deseja. Sem a liberdade do medo, as outras 11 riquezas da vida podem ser inúteis.

Em um capítulo subsequente você encontrará a fórmula para conquistar o medo de problemas de saúde e dor física. Aplique a fórmula e conquiste esse medo; depois siga adiante para conquistar os outros seis medos com a mesma fórmula.

5. ESPERANÇA DE REALIZAÇÕES FUTURAS

A esperança é a precursora do maior de todos os estados mentais: a fé! A esperança sustenta em tempos de emergência, quando, sem ela, o medo toma conta. A fé é a base do tipo de felicidade mais intenso, proveniente da expectativa de sucesso em algum plano ou propósito ainda não atingido. Pobre de fato é quem não consegue olhar para o futuro com esperança de que se tornará a pessoa que quer ser ou alcançar a posição que gostaria de ter na vida, ou atingir o objetivo que fracassou em adquirir no passado. A esperança mantém a alma do homem alerta e ativa em favor dele e abre a linha de comunicação com que a fé conecta-se à Inteligência Infinita. A esperança é a personificação da excelência das outras 11 riquezas da vida.

6. CAPACIDADE PARA TER FÉ

A fé é o meio de comunicação entre a mente consciente do homem e o grande reservatório universal da Inteligência Infinita. É o solo fértil do jardim da mente humana, onde podem ser produzidas todas as riquezas da vida. É o "elixir eterno" que concede poder criativo e ação aos impulsos do pensamento. É o entusiasmo vital da alma e não tem limitações. A fé é a qualidade espiritual que, quando combinada com a oração, proporciona conexão direta e imediata com a Inteligência Infinita. A fé é o poder que transmuta as energias comuns do pensamento em seu equivalente espiritual e é o único meio pelo qual o homem pode apropriar-se da Inteligência Infinita para seu uso.

7. DISPOSIÇÃO PARA COMPARTILHAR BÊNÇÃOS

Aquele que não aprendeu a bendita arte de compartilhar suas bênçãos com os outros não encontrou o verdadeiro caminho para a felicidade duradoura, pois a felicidade provém basicamente de compartilhar de si mesmo e de suas bênçãos. É preciso lembrar que o espaço que se ocupa no coração dos outros é determinado exatamente pelo serviço que se presta mediante algum tipo de compartilhamento. É preciso lembrar também que todas as riquezas podem ser embelezadas e multiplicadas pelo simples processo de compartilhá-las onde possam servir aos outros. Negligência ou recusa em compartilhar as bênçãos é o caminho certo para cortar a linha de comunicação entre um homem e sua alma. Um grande professor disse: "O maior entre vocês é aquele que se torna servo de todos!". Outro filósofo disse: "Ajude o barco do seu irmão a fazer a travessia e veja só: o seu também chegou na margem!". E ainda outro grande mestre disse: "O que quer que você faça para ou por outro, você faz para ou por você mesmo".

8. AMOR PELO TRABALHO

Não pode haver homem mais rico do que aquele que achou um trabalho que ama e está ativamente engajado em desempenhá-lo, pois um trabalho que se ama é a mais elevada forma de expressão dos desejos humanos. O trabalho é a ligação entre a demanda e o suprimento de todas as necessidades humanas, precursor de todo progresso humano, meio pelo qual a imaginação do homem recebe asas para voar. E todo trabalho feito com amor é santificado porque traz a alegria da autoexpressão àquele que o desempenha. Faça a coisa de que mais gosta e com isso sua vida será enriquecida, sua alma será embelezada, e você será uma inspiração de esperança, fé e encorajamento a todos com quem entrar em contato. Atuar no trabalho que se ama é a maior de todas as curas para a melancolia, a frustração e o medo. E é um construtor sem igual da saúde física.

9. MENTE ABERTA EM TODOS OS ASSUNTOS

A tolerância, que está entre os mais elevados atributos da cultura, é expressada apenas pela pessoa que mantém uma mente aberta em todos os assuntos, em relação a todas as pessoas, o tempo todo. E apenas a pessoa que mantém a mente aberta torna-se verdadeiramente educada e assim fica preparada para adotar e usar as 12 grandes riquezas da vida. Uma mente fechada atrofia e corta a comunicação entre o indivíduo e a Inteligência Infinita. Uma mente aberta mantém o indivíduo em processo permanente de educação e de aquisição de conhecimento com que ele pode tomar posse de sua mente e direcioná-la para atingir qualquer objetivo desejado.

10. AUTODISCIPLINA

A pessoa que não é mestra de si mesma jamais pode tornar-se mestra de nada e nem de ninguém. Aquele que é mestre de si pode tornar-se mestre de seu destino neste mundo e "mestre de seu destino, capitão de sua alma". A forma mais elevada de autodisciplina consiste na expressão de humildade sincera quando se obtive grandes riquezas ou se foi abençoado com reconhecimento generalizado pelos serviços prestados.

A autodisciplina é o único meio pelo qual se pode tomar posse plena e total da própria mente e direcioná-la para atingir quaisquer fins que se deseje.

11. CAPACIDADE DE ENTENDER AS PESSOAS

Aquele que é rico na compreensão das pessoas reconhece que todas são fundamentalmente parecidas, pois evoluíram do mesmo antepassado; que todas as atividades humanas, boas ou más, são inspiradas por um ou mais dos nove motivos básicos da vida, que são:

1. A emoção do amor

2. A emoção do sexo

3. O desejo de ganho material

4. O desejo de autopreservação

5. O desejo de liberdade do corpo e da mente

6. O desejo de reconhecimento e autoexpressão

7. O desejo de perpetuação da vida após a morte

8. A emoção da raiva

9. A emoção do medo (ver os sete medos básicos)

O homem que entende os outros deve primeiro entender a si mesmo, pois os motivos que o inspiram à ação são na maioria os mesmos motivos que inspirariam outros sob as mesmas condições.

A capacidade de entender os outros é a base de todas as amizades, é a base de toda harmonia e cooperação entre as pessoas e é um fundamento da maior importância em todos os tipos de liderança que requerem cooperação amigável. Algumas pessoas acreditam que essa é uma abordagem da maior importância no entendimento do plano geral do universo e do Criador.

Conheça a si mesmo e você estará no caminho para entender os outros.

12. SEGURANÇA ECONÔMICA (DINHEIRO)

A última, mas não menos importante, é a porção tangível das 12 grandes riquezas, o dinheiro ou o conhecimento com que se garante a segurança econômica. A segurança econômica não é alcançada pela posse de dinheiro apenas. É alcançada pelo serviço que se presta, pelo serviço útil que pode ser convertido em todas as necessidades humanas, com ou sem o uso de dinheiro.

Henry Ford alcançou a segurança econômica não necessariamente porque acumulou uma vasta fortuna em dinheiro, mas pelo motivo ainda melhor de ter proporcionado emprego lucrativo para milhões de homens e mulheres, bem como transporte automotivo confiável para um número ainda maior de pessoas.

Homens e mulheres que dominam e aplicam a Ciência do Sucesso possuem segurança econômica porque possuem os meios com que se pode adquirir dinheiro. Eles podem ficar sem dinheiro ou perdê-lo por mau discernimento, mas isso não os priva de segurança econômica, pois conhecem a fonte do dinheiro e como contatar essa fonte e se beneficiar dela.

Andrew Carnegie, que foi talvez o homem mais rico do mundo no tempo dele, patrocinou a organização da Ciência do Sucesso porque acreditava que o "know-how" da acumulação de dinheiro deveria ser do conhecimento de todos. No estágio final de sua vida, Andrew Carnegie doou a maior parte de sua vasta fortuna de quase US$ 1 bilhão, mas, em conversa comigo pouco antes de morrer, ele disse:

"Devolvi a maior parte de minha fortuna às pessoas a partir das quais ela foi acumulada, mas o dinheiro que doei é infinitamente menor em comparação com as riquezas que estou deixando às pessoas com o 'know-how' do sucesso, que lhe incumbi de transmitir ao mundo".

Você agora tem um entendimento da antítese da pobreza nas 12 grandes riquezas da vida. E deve ser encorajador observar que as primeiras 11 riquezas estão ao alcance de qualquer um que as adote e que aqueles que as adotarem e usarem atrairão facilmente a $12^{\underline{a}}$ riqueza, o dinheiro.

Aqui estão, pois, os meios pelos quais a pobreza pode ser transmutada em riqueza, incluindo as 12 grandes riquezas da vida.

Adote as 12 grandes riquezas, aplique-as na vida cotidiana e você se tornará um sucesso — pois sucesso não é nada mais, nada menos do que a obtenção dessas 12 bênçãos.

Capítulo 8

O FRACASSO PODE SER UMA BÊNÇÃO

O SEXTO MILAGRE DA VIDA

O fracasso muitas vezes torna-se uma bênção disfarçada, pois faz as pessoas retrocederem de objetivos cogitados que, levados a cabo, significariam constrangimento ou até mesmo total frustração. Com frequência o fracasso abre novas portas de oportunidade e proporciona conhecimento útil das realidades da vida pelo método de tentativa e erro. O fracasso com frequência revela métodos que não vão funcionar e cura gente vaidosa da presunção.

O fracasso do exército britânico sob Lord Cornwallis em 1781 não só deu a liberdade às colônias americanas, como provavelmente salvou o império britânico da destruição total na Primeira e na Segunda Guerra Mundial.

Os fracassos econômicos do Sul dos Estados Unidos devido à perda dos escravos na guerra civil acabou por render uma semente de benefício equivalente de mais de uma maneira:

1. A perda dos escravos forçou as pessoas a começarem a depender de si mesmas e com isso desenvolveram iniciativa pessoal.

2. A perda forçou as mulheres sulistas a se tornarem independentes, assumindo seu lugar ao lado dos homens nos negócios e profissões.

3. Por último, a indústria norte-americana está deslocando-se rapidamente para o Sul, onde mão de obra, matérias-primas, combustíveis e clima são mais favoráveis. Graças à iniciativa pessoal, os sulistas pararam de odiar os ianques e começaram a promover o Sul para a indústria nortista.

No devido tempo, o Sul pode tornar-se o centro industrial dos Estados Unidos.

Alexander Graham Bell gastou anos de pesquisa em busca de meios de criar um aparelho auditivo para a esposa surda. No objetivo inicial ele fracassou, mas a pesquisa rendeu o segredo do telefone.

Quando o rádio tornou-se popular, por volta de 1920, a Victor Talking Machine Company ficou assustada, pois pareceu que o rádio fosse arruinar o mercado dos gramofones. O engenheiro chefe da Victor descobriu, no princípio do próprio rádio, os meios para fazer gravações melhores, e daí nasceu uma demanda para gramofones que a empresa jamais teria conhecido sem a descoberta.

O primeiro grande fracasso de Thomas Edison ocorreu quando seu professor mandou-o de volta para casa com um bilhete informando que ele não conseguiria ser instruído. Isso chocou Edison de tal maneira que ele adquiriu uma educação que o capacitou a se tornar um inventor verdadeiramente grande.

A surdez parcial de Edison também poderia ser considerada por alguns um fracasso de grandes proporções, mas ele adaptou-se de tal modo que desenvolveu o poder de escutar "de dentro", pelo sexto sentido. Talvez este tenha sido um fator relevante em sua capacidade de desvendar tantos segredos da natureza no ramo das invenções.

A perda de minha mãe, que morreu quando eu era muito novinho, poderia ser considerada por alguns uma desvantagem de grandes proporções, mas o resultado foi outro. Fui compensado pela perda de minha mãe com uma madrasta cuja influência sobre mim foi tão profunda que me inspirou a aderir a uma vocação onde tive condições de servir aos outros em uma extensão muito maior do que teria feito de outro modo.

Senti que eu havia topado com um grande fracasso quando um tio-avô multimilionário (cujo nome eu recebi) morreu sem deixar nada de sua fortuna para mim. Mais tarde tive motivos para ser grato por ficar de fora do testamento, pois foi necessário eu dominar a pobreza por mim mesmo, por minha iniciativa e, ao fazer isso, aprendi como ensinar os outros a dominar a pobreza.

Analise o fracasso sob quaisquer circunstâncias que queira e você descobrirá a verdade profunda de que cada fracasso traz consigo a semente de um benefício equivalente. Isso não significa que o fracasso traga o fruto plenamente maduro de um benefício equivalente, mas apenas a semente, que deve ser descoberta, germinada e desenvolvida até frutificar mediante iniciativa pessoal, imaginação e definição de objetivo.

A maioria dos homens consideraria a perda da mobilidade das pernas um fracasso de grandes proporções, mas Franklin Roosevelt lidou com essa perda de tal modo que lhe deu um espírito determinado para conviver com órteses, e ele parece ter se saído muito bem sem o uso das pernas. Sua atitude mental em relação à aflição foi tal que reduziu a deficiência a um mínimo de inconveniência.

Os fracassos de Abraham Lincoln como lojista, soldado e advogado voltaram seus talentos para uma direção que o preparou para se tornar o maior presidente que os Estados Unidos já conheceram.

Mais de vinte grandes fracassos que experimentei no início de minha carreira mudaram meu caminho e por fim guiaram-me para o campo em que melhor posso servir aos outros.

O fracasso de Clarence Saunders como balconista rendeu uma ideia que lhe garantiu um lucro de US$ 4 milhões em quatro anos. A ideia foi o sistema Piggly-Wiggly de mercearias *self-service*, marcando o início do sistema de lojas *self-service*, hoje disseminado por todo o país.

O fracasso na saúde física muitas vezes desvia a atenção do indivíduo do corpo físico para o cérebro, apresentando-o ao verdadeiro "chefe" do corpo físico — a mente — e abre amplos horizontes de oportunidade que ele nunca conheceria sem o problema de saúde.

Milo Jones, de Fort Atkinson, Wisconsin, mal obtinha um mísero sustento de sua fazenda até ser atingido por uma paralisia e sofrer perda total da mobilidade física. Jones então fez uma descoberta que apenas uma grande aflição poderia desvendar. Ele descobriu que tinha uma mente e que suas possibilidades de realização eram limitadas apenas pelos desejos e demandas a ela apresentados, mesmo sem o uso do corpo físico. Com a ajuda de sua mente, Jones concebeu a ideia de fazer salsicha de leitões jovens, chamou o produto de Little Pig Sausage (salsicha de porquinho) e ficou milionário.

O fato de Jones não ter descoberto sua fabulosa fonte de riqueza enquanto dispunha de pleno uso do corpo físico é algo que proporciona tema para profunda reflexão. A grande lei da mudança jogou Milo Jones estendido de costas e quebrou seus velhos hábitos, pelos quais ele ganhava a vida com as mãos, a fim de apresentá-lo a seu poder mental, que ele descobriu ser infinitamente maior do que seu poder muscular.

Na verdade a natureza nunca permite que um indivíduo seja destituído de qualquer um de seus direitos e bênçãos inatos sem prover potenciais de algum tipo de benefício equivalente, como no caso de Milo Jones.

O fracasso é uma bênção ou maldição, dependendo da reação do indivíduo. Caso se olhe para o fracasso como uma espécie de cutucada da mão do destino sinalizando para se seguir em outra direção e se aja de acordo com o sinal, é praticamente certo que a experiência se torne uma bênção. Caso se aceite o fracasso como uma indicação de fraqueza e se rumine sobre isso até produzir um complexo de inferioridade, então é uma maldição. A natureza da reação conta uma história que está sempre sobre controle exclusivo do indivíduo.

Ninguém possui imunidade total contra o fracasso, e todo mundo depara com o fracasso muitas vezes durante a vida, mas todo mundo também tem o privilégio e meios de reagir ao fracasso da maneira que desejar.

As circunstâncias sobre as quais não se tem controle podem resultar — e às vezes resultam — em fracasso, mas não existem circunstâncias que possam impedir de se reagir ao fracasso da maneira mais adequada para se ter benefício.

O fracasso é um instrumento de medição preciso com que o indivíduo pode determinar suas fraquezas e fornece, portanto, uma oportunidade de corrigi-las. Nesse sentido, o fracasso é sempre uma bênção.

O fracasso geralmente afeta as pessoas de uma ou outra das seguintes formas: serve apenas como desafio para um esforço maior ou subjuga e desencoraja de se tentar de novo.

A maioria das pessoas perde a esperança e desiste aos primeiros sinais de fracasso, antes mesmo dele abater-se sobre elas. E um grande percentual de pessoas desiste quando acometidas por um único fracasso. O líder potencial jamais é subjugado pelo fracasso, mas é sempre inspirado a maior esforço por ele. Observe seus fracassos e você verá se tem potenciais para a liderança. Sua reação dará uma pista confiável.

Se você consegue continuar tentando após três fracassos em determinada iniciativa, pode considerar-se "suspeito" de ser um líder potencial em sua ocupação. Se consegue continuar tentando após uma dúzia de fracassos, a semente do gênio está germinando em sua alma. Dê a esta semente o sol da esperança e da fé e observe-a crescer em grandes realizações pessoais.

Parece que a natureza geralmente nocauteia indivíduos com adversidades a fim de saber quem entre eles vai se levantar e travar outra luta! Aqueles que são aprovados são escolhidos como pessoas de destino, para servir como líderes em trabalhos de grande importância para a humanidade.

Deixe-me lembrar que, da próxima vez que você deparar com o fracasso, caso se recorde de que cada fracasso e cada adversidade trazem consigo a semente de um benefício equivalente e reconhecer essa semente e começar a germiná-la por meio da ação, você pode descobrir que esta tal realidade chamada de fracasso não existe, até se aceitá-la como tal!

Teria sido muito natural e lógico Milo Jones aceitar sua enfermidade como um nocaute do qual jamais se recuperaria, e ninguém o culparia se fizesse isso, mas ele reagiu à deficiência de maneira positiva, o que rendeu um melhor relacionamento operacional com o poder de sua mente. A reação de Jones foi a parte importante da experiência, pois o compensou em termos de riqueza financeira que ele jamais sonhara adquirir.

A maioria dos chamados fracassos são apenas derrotas temporárias que podem ser convertidas em ativos de natureza inestimável caso se assuma uma atitude mental positiva em relação a eles.

Do nascimento à morte, a vida coloca um desafio constante às pessoas que dominam o fracasso sem ir à lona e recompensa com riqueza abundante e grandes poderes pessoais aqueles que enfrentam o desafio com sucesso.

O mundo generosamente perdoa o indivíduo por seus erros e derrotas temporárias, desde que ele os aceite como tal e continue tentando, mas não existe perdão para o pecado de desistir quando o percurso é duro!

O lema da vida é: "Um vencedor nunca desiste, e um desistente nunca vence!".

O fracasso do Japão na Segunda Guerra Mundial foi sua maior vitória, visto que o fracasso rompeu o jugo vicioso da superstição a que o povo japonês estava preso e deu a ele o primeiro gostinho de democracia e uma oportunidade de tomar seu lugar na família dos povos civilizados em igualdade com todos os outros.

Em todas as atividades humanas, a natureza parece favorecer o "tolo" que não sabia que poderia fracassar, mas que foi em frente e fez o "impossível" antes de descobrir que não podia ser feito.

Henry Kaiser nunca havia construído embarcações marítimas, mas a emergência da Segunda Guerra Mundial exigiu mais navios do que os estaleiros consagrados podiam fornecer; por isso Kaiser começou a construir navios com tamanha fé e entusiasmo que literalmente "deu um lençol" em alguns dos homens mais antigos e experientes do setor, com um recorde na produção e um recorde em baixo custo!

O homem que diz que "não dá para fazer" geralmente acaba sob os pés do homem que está ocupado fazendo — o homem que tem sucesso porque se lançou no caminho das leis universais e adaptou-se aos hábitos do universo, garantindo-se assim contra o fracasso. O homem que diz que "não dá para fazer" nunca estudou as leis da natureza.

Um velho mineiro passou trinta anos em busca de metais preciosos, deparando apenas com decepção e desespero até ser atingido pelo infortúnio de sua fiel mula quebrar a perna numa toca de esquilo. A mula teve que ser abatida. Enquanto cavava um buraco para enterrar o animal, o mineiro topou com o mais rico depósito de cobre do mundo inteiro!

O destino muitas vezes escolhe maneiras dramáticas para recompensar as pessoas pela persistência e vontade de continuar tentando face à derrota.

Neste mundo de realismo prático, devemos nos recordar constantemente de que nossas únicas limitações são aquelas que estabelecemos em nossa mente ou permitimos que outros estabeleçam.

Daqui em diante e para sempre lembre-se de que nenhuma experiência pode ser classificada como fracasso a menos e até que seja aceita como tal! Lembre-se também de que a única pessoa que enfrenta uma determinada experiência tem o direito de chamá-la de fracasso ou de outra coisa; o veredito de todos os outros é descartado.

54 importantes causas de fracasso

1. Hábito de ir ao sabor das circunstâncias, sem metas ou objetivos definidos.
2. Hereditariedade física desfavorável inata.
3. Curiosidade intrometida relacionada aos assuntos alheios.

4. Falta de um objetivo principal definido como meta de vida.

5. Instrução inadequada.

6. Falta de autodisciplina, geralmente manifestada por excessos na comida, na bebida e no prazer sexual e por indiferença em relação a oportunidades de autoaprimoramento.

7. Falta de ambição para almejar além da mediocridade.

8. Má saúde, geralmente devido a pensamentos errados, dieta inadequada e falta de exercício físico. (Tenha em mente, porém, que algumas pessoas, como Helen Keller, fizeram-se muito úteis aos outros a despeito de enfermidades incuráveis.)

9. Influências ambientais desfavoráveis durante a infância. Dizem que as bases principais do caráter estão bem formadas no indivíduo por volta dos sete anos de idade.

10. Falta de persistência em levar a cabo o que se começa.

11. Atitude mental negativa como um hábito fixado.

12. Falta de controle sobre as emoções do coração.

13. Desejo de obter algo a troco de nada, geralmente manifestado no hábito do jogo.

14. Fracasso para chegar a decisões pronta e definitivamente e ater-se a elas depois de tomadas.

15. Um ou mais dos sete medos básicos.

16. Escolha errada de parceiro no casamento.

17. Excesso de cautela nos relacionamentos profissionais e de negócios.

18. Ausência de todos os tipos de cautela.

19. Escolha errada de sócios nos negócios ou atividades profissionais.

20. Escolha errada de vocação ou total negligência em fazer uma escolha.

21. Falta de concentração do esforço na tarefa em mãos em determinado momento.

22. Hábito de gasto indiscriminado, sem controle de orçamento de rendas e despesas.

23. Fracasso em administrar e usar o tempo da maneira mais vantajosa.

24. Falta de entusiasmo controlado.

25. Intolerância — uma mente fechada, baseada particularmente em ignorância ou preconceito relacionados a assuntos religiosos, políticos e econômicos.

26. Fracasso em cooperar com os outros em espírito de harmonia.

27. Posse de poder ou riqueza não baseados no mérito ou não merecidos.

28. Falta de espírito de lealdade àqueles a quem a lealdade é devida.

29. Egotismo e vaidade fora de controle.

30. Hábito de formar opiniões e construir planos sem baseá-los em conhecimento em primeira mão ou nos fatos necessários.

31. Falta de visão e imaginação suficientes para reconhecer oportunidades favoráveis.

32. Falta de vontade de ir além na prestação de serviço.

33. Desejo de vingança por ofensas reais ou imaginárias por parte de outros.

34. Hábito de conversar em termos vulgares ou blasfemos.

35. Hábito de se entregar a fofoca negativa sobre os assuntos de outras pessoas.

36. Atitude antissocial em relação a autoridades constituídas de governo.

37. Descrença na existência da Inteligência Infinita.

38. Falta de conhecimento sobre como dedicar-se à oração de modo a obter resultados positivos.

39. Fracasso em beneficiar-se do conselho de outros cuja experiência muitas vezes é necessária.

40. Desleixo no pagamento de dívidas pessoais.

41. Hábito de mentir ou modificar indevidamente a verdade.

42. Hábito de fazer críticas onde não foi solicitado.

43. Ultrapassar o limite de endividamento.

44. Ganância por bens materiais de que não se necessita.

45. Falta de autoconfiança para a realização dos objetivos escolhidos.

46. Alcoolismo ou consumo de narcóticos.

47. Excesso no hábito fumar, especialmente ao fumar um cigarro atrás do outro.

48. Hábito (de leigos) de atuar como seu próprio advogado em contratos e questões legais.

49. Hábito de endossar promissórias de outros quando o risco não é justificado.

116 | Napoleon Hill

50. Hábito da procrastinação — deixar para amanhã o que deveria ter sido feito anteontem.

51. Hábito de fugir de circunstâncias desagradáveis em vez de dominá-las.

52. Hábito de falar demais e ouvir de menos. Nunca se aprende nada enquanto se fala, mas sempre se está no caminho do aprendizado ao se ouvir quando os outros falam.

53. Hábito de aceitar favores dos outros sem retribuir.

54. Desonestidade intencional nas relações profissionais e de negócios.

Examine-se com cuidado a respeito dessas 54 causas de fracasso e, caso o autoexame revele que você pode assinalar "ok" em cada uma delas, não é provável que você seja acometido pelo fracasso. Além do mais, se você pode assinalar "ok" em cada uma dessas causas de fracasso, você não precisa se preocupar com operações dentárias ou cirurgias, pois tem tudo sob controle.

Entretanto, depois que fizer sua avaliação, pode ser interessante e útil que outra pessoa o avalie em cada uma dessas causas de fracasso — alguém que lhe conheça bastante bem e tenha coragem de deixá-lo olhar para si mesmo pelos olhos dela.

Capítulo 9

TRISTEZA: O CAMINHO PARA A ALMA

O SÉTIMO MILAGRE DA VIDA

A tristeza nunca é convidada pelas pessoas, mas é um dos instrumentos mais eficientes da natureza para condicionar os seres humanos a se tornarem humildes e cooperativos nos relacionamentos.

Quando uma pessoa que conheceu grande tristeza fica tentada a criticar ou condenar aqueles com quem pode não concordar ou aqueles que podem tê-la ofendido, muitas vezes reverte a regra geral em tais circunstâncias e, em vez de condenar, diz: "Deus tenha piedade de todos nós!". Quando encontramos esse tipo de pessoa, intuitivamente reconhecemos que estamos na presença da realeza!

A tristeza é o remédio para a alma, sem o qual esta nunca seria reconhecida por muitos. Sem a influência fermentadora da tristeza, o homem ainda estaria no mesmo grupo dos animais, no plano inferior de inteligência. A tristeza rompe as barreiras que situam-se entre o homem físico e suas potencialidades espirituais.

A tristeza quebra velhos hábitos e os substitui por novos e melhores hábitos — fato que sugere que a tristeza é um instrumento da natureza com o qual ela evita que o homem fique escravizado pela complacência e autossatisfação.

Devido à minha primeira e única grande tristeza, descobri o caminho para minha alma, o que me deu uma liberdade que nunca teria conhecido sem essa experiência, e pavimentei o caminho para escrever este livro.

A tristeza está intimamente relacionada à emoção do amor — a maior de todas as emoções — e, em momentos de desastre, a tristeza reúne as pessoas em espírito de amizade e influencia o homem a reconhecer as bênçãos de tornar-se guardião de seu irmão.

A tristeza abranda a pobreza e embeleza as riquezas!

As riquezas reveladas apenas pela tristeza são tão grandes e tão variadas que é impossível fazer o inventário delas. A capacidade para a tristeza em si é evidência de profundas qualidades espirituais. Patifes jamais conhecem a emoção da tristeza, pois, se conhecessem a tristeza, não seriam patifes.

A tristeza força o homem a fazer um inventário introspectivo de si mesmo, e com isso pode descobrir a cura para todos os seus males e decepções. A tristeza apresenta os benefícios da meditação e do silêncio, durante os quais forças invisíveis podem trazer auxílio e conforto suficientes para as necessidades de determinado momento ou experiência.

Quando um homem cai em si e descobre os estupendos poderes a seu dispor, a revelação geralmente deve-se a uma pessoa amada, fracasso nos negócios ou alguma aflição física fora de seu controle.

Existem certos aprimoramentos do corpo e da mente que a natureza parece propiciar apenas pelo instrumento da tristeza, tais como a eliminação de egoísmo, arrogância, vaidade e soberba.

A tristeza, como o fracasso, pode ser uma bênção ou uma maldição, de acordo com a reação. Se é aceita como uma força disciplinadora necessária, sem ressentimento, pode se tornar uma grande bênção. Se causa ressentimento e a pessoa não vê benefícios crescendo dela, pode então tornar-se uma maldição. A escolha está inteiramente na mente do indivíduo.

Às vezes a tristeza torna-se autocomiseração e como tal serve apenas para enfraquecer aquele que a adota. A tristeza é benéfica apenas quando experimentada como um sentimento de simpatia pelos outros ou quando aceita como um meio de disciplina bem-vindo.

Nunca se fica em contato mais próximo com a Inteligência Infinita do que em momentos de profunda tristeza. É nos momentos de tristeza que a oração é mais eficiente, e com frequência a oração traz resultados positivos instantaneamente.

A tristeza de Abraham Lincoln pela perda da única mulher que amou de verdade, Ann Rutledge, revelou ao mundo sua grande alma e deu à América seu maior líder na época de sua maior necessidade.

A frustração provocada por amor não correspondido muitas vezes leva ao momento de virada na vida em que a tristeza faz sua aparição e atua como guia para grandes realizações ou empecilho que pode levar à destruição total, de acordo com a atitude que o indivíduo adota em relação a ela.

Aqui, mais uma vez, a escolha é inteiramente do indivíduo!

Nem mesmo o Criador revogará o privilégio do homem de controlar a própria mente e direcioná-la para quaisquer finalidades escolhidas, e nenhum outro poder pode cancelar esse privilégio, exceto com o consentimento da própria pessoa.

A tristeza pode tornar-se um poder tremendo para o bem quando transmutada em algum tipo de ação construtiva ou reforma pessoal.

A tristeza é conhecida por curar a pessoa da doença do alcoolismo após todo o resto ter falhado. E é reconhecida como uma cura para quase todos os pecados do homem. Alguém disse: "Quando a tristeza fracassa, o diabo toma conta".

Em momentos de tristeza, as pessoas lançam fora todos os artifícios da pretensão e se revelam como são, pois a tristeza é a hora da franca confissão tanto do humilde quanto do orgulhoso. Sem a emoção da tristeza, o homem seria um animal tão feroz quanto o tigre mais selvagem e infinitamente mais perigoso devido à sua inteligência superior.

Ao erguer o homem ao plano de inteligência mais elevado, o Criador sabiamente refinou essa inteligência com a capacidade para a tristeza, a fim de garantir ao indivíduo moderação no uso de sua superioridade. Sádicos e mestres do crime em geral são indivíduos de grande inteligência que carecem de capacidade para a tristeza.

Um homem sem capacidade para a tristeza é a coisa mais próxima do diabo encarnado.

Caso um dia sinta que suas tristezas são maiores do que possa suportar, lembre-se de que está na encruzilhada da vida, com quatro direções a escolher, uma das quais pode levar à paz mental que você jamais encontraria em nenhuma outra direção ou por outros meios. Lembre-se também de que a pessoa que nunca sentiu a mão da tristeza nunca viveu realmente, pois a tristeza é a chave-mestra para o portal da própria alma — a porta de acesso à Inteligência Infinita.

A tristeza é um paliativo, uma espécie de válvula de segurança que protege aqueles que se recusam a prestar atenção na orientação da faculdade da razão. A tristeza é um tônico para as grandes almas, uma clava para os fracos e indisciplinados.

Graduei-me na faculdade da tristeza aos 50 anos de idade. Desde o nascimento até chegar aos 50 anos, deparei com praticamente todo tipo de tristeza que se possa experimentar e de algum modo triunfei sobre todas elas. Todos os meus rios de tristeza haviam sido atravessados, exceto um, que se revelou o último e maior de todos. Foi um novo tipo de tristeza, contra o qual eu não havia construído uma muralha de imunidade. Envolveu a mais profunda e todavia mais perigosa das emoções — a emoção do amor.

Perambulei para dentro do jardim do amor por um caminho que se revelou um labirinto onde tive dificuldade em fazer a trilha de volta. Tinha visto centenas de meus alunos cometerem o mesmo erro e sempre senti um leve desprezo por causa de tal fraqueza. Aí a situação inverteu-se.

Finalmente conheci a tristeza do amor não correspondido e soube também que tinha que encontrar um jeito de transmutar a experiência em algum tipo de ação construtiva. Com essa experiência, assim como com todas as experiências desagradáveis anteriores, comecei a transmutação estabelecendo para mim mesmo uma tarefa de trabalho que não deixou tempo para lamentação.

Por algum estranho gesto da mão do destino, fui guiado para a cidadezinha de Clinton, na Carolina do Sul, onde me instalei para superar a tristeza e reescrever a Ciência do Sucesso — tarefa que exigiu mais de um ano. No apartamento onde eu morava sozinho havia um quadro a óleo de uma linda floresta por onde corria um largo rio que desaparecia de vista numa curva acentuada que alterava o seu curso.

Noite após noite eu sentava diante da pintura, vigiando e esperando o navio da esperança vir navegando pela curva. O navio não vinha, e os dias transformavam-se em semanas; as semanas, em meses em que me vi a sós comigo. Sempre dei jeito de escapar de cada circunstância desagradável de minha vida, mas dessa vez eu parecia inseparavelmente aprisionado dentro de mim, e o tédio parecia maior do que eu pudesse suportar.

Com essa experiência eu estava destinado a aprender uma das maiores lições de minha carreira: o homem não é completo sem a companhia da mulher escolhida. Eu nunca poderia aprender essa lição de outra forma.

Certa noite, depois de viver sozinho por um ano, estava me vestindo para um compromisso para jantar e houve uma queda de luz no meu apartamento. Por acaso olhei o quadro na parede e, por algum estranho fenômeno, devido à luz tênue que incidia sobre a pintura, vi a perfeita imagem de um navio chegando através da curva. "Finalmente meu navio da esperança!", exclamei.

Ao sentar à mesa de meu anfitrião do jantar naquela noite, fiz outra descoberta que mostrou claramente por que eu fora guiado para a cidadezinha de Clinton pela mão do destino: ali, diante de mim, estava sentada minha futura esposa — aquela que eu estivera procurando aqui e ali, sem saber que vivia quase ao meu lado.

Assim, a partir de minha maior tristeza, a lei eterna da compensação produziu a maior de todas as minhas riquezas — uma esposa perfeitamente adequada em todos os aspectos para caminhar de braços dados comigo pelo ocaso da vida, enquanto trabalhávamos juntos para dar os retoques finais em uma carreira onde a dor foi transmutada em uma filosofia destinada a beneficiar milhões de pessoas.

Mas a compensação jamais teria vindo, a Ciência do Sucesso jamais teria sido organizada caso eu não tivesse aprendido a arte abençoada de transmutar circunstâncias desagradáveis em ação construtiva.

Lembre-se da palavra "transmutar" quando sentar na cadeira do dentista de novo e mantenha sua mente tão ativamente ocupada em pensar algo construtivo que não sobre tempo para sentir dor física. E, quando a tristeza abater-se sobre você, siga o mesmo plano, voltando os pensamentos para a realização de algum objetivo ainda não atingido; mantenha-se tão ocupado pensando em meios de atingir o objetivo que não sobre tempo para a autocomiseração. Faça isso e você descobrirá um bem valioso escondido que não sabia possuir — um bem que vale mais do que o resgate de um rei. Você descobrirá que é senhor de si.

Sei alguma coisa dos efeitos da tristeza porque nasci em meio a oceanos dela. A casa onde nasci era uma cabana de madeira de um cômodo, situada nas montanhas do sudoeste da Virgínia, e o total de bens daquela casa à época de meu nascimento consistia em um cavalo, uma vaca, uma cama e um fogão onde minha mãe assava pão de milho.

Teoricamente, eu não tinha nem sombra de chance de um dia me tornar um homem livre e menos chance ainda de me tornar útil aos homens de todo o mundo. Meus pais eram pobres e analfabetos. Nossos vizinhos eram pobres e também analfabetos. O único bem de valor que herdei foi nascer com uma mente sã e um corpo físico saudável.

Dessa breve descrição de meu passado você pode indagar por que fui escolhido para dar ao mundo a primeira filosofia prática do sucesso pessoal. Com frequência indago a mim mesmo! Mas o filósofo nos diz que "Deus move-se de maneira misteriosa para operar suas maravilhas".

Das tristezas de minha infância veio um desejo apaixonado de aliviar as tristezas dos outros — um desejo tão forte e duradouro que me conduziu por mais de vinte anos de pesquisa sem lucro sobre as causas do sucesso e do fracasso. Talvez as tristezas de minha juventude tenham sido enviadas com o objetivo de que eu pudesse ser inspirado a prestar um serviço útil ao mundo.

Quando digo "sem lucro", isso significa sem lucro monetário enquanto a pesquisa estava em andamento, é claro. Quanto à compensação última que a pesquisa rendeu, digo sinceramente que duvido que outro autor já tenha recebido tamanha ajuda ou oportunidade tão favorável de executar qualquer tipo de trabalho literário quanto eu durante esses vinte anos enquanto organizava a Ciência do Sucesso. Por fim, esses anos "sem lucro" ajudaram a projetar minha influência permanente sobre incontáveis vidas e pessoalmente renderam-me uma vultosa cota das 12 grandes riquezas que representam tudo que existe de sucesso pessoal no plano terreno.

Se eu pudesse voltar atrás e viver minha vida de novo, evitaria as tristezas de minha juventude? Não, definitivamente não, pois foram aquelas experiências que temperaram meu corpo e mente e refinaram minha alma para uma tarefa de vida que resultou em benefício para outros que estão se esforçando para encontrar seu caminho na floresta negra da selva da vida.

Aprenda o pleno significado do que estou tentando transmitir aqui e você entenderá por que afirmo que este livro poderia ser algo muitissimamente maior do que meras sugestões sobre como dominar o medo de tratamento dentário ou cirurgias. Se fiz meu trabalho como esperava ao escrever este livro, ele apresentará ao leitor uma nova fonte de poder com que todas as circunstâncias desagradáveis podem ser transformadas em serviço útil — uma fonte de poder que opera por meio daquele "outro eu" que não se vê ao se olhar no espelho.

Uma vez que aprenda a avaliar a tristeza adequadamente, você reconhecerá seus benefícios onde quer que apareçam e entenderá que ela é um dos instrumentos mais essenciais da natureza para separar o homem de seu passado animalesco. Os animais em todos os planos de desenvolvimento abaixo do homem nunca sentem a emoção beneficente da tristeza, com exceção do cachorro cuja longa parceria com o dono torna o cão algo muito assemelhado, mas ligeiramente inferior, ao ser humano.

Se você possui grande capacidade para a tristeza, também possui uma grande capacidade potencial para o gênio, desde que se relacione com a tristeza como uma fonte bem-vinda de disciplina e não como um meio de autocomiseração.

Ao continuarmos nossa viagem pelo vale dos grandes milagres, você observará que cada um deles é definitivamente embelezado com potencialidades espirituais de grande benefício àqueles que as interpretam corretamente. E observará também que a paz mental está disponível apenas àqueles que interpretam e se relacionam adequadamente com as leis da natureza. Se você deixar passar esse ponto, terá perdido o maior objetivo que incitou a redação deste livro!

A tristeza é o grande denominador universal que serve para recompor a situação de uma comunidade ou família quando sobrevém o infortúnio. Sei de casos onde a tristeza reuniu maridos e esposas estremecidos que não teriam cedido a nenhuma outra influência e vi a tristeza liquidar contendas insuperáveis que persistiram por gerações.

A emoção da tristeza, como a emoção do amor, refina as almas daqueles que a experimentam e dá coragem e fé para enfrentarem as provações e atribulações da luta em um mundo de confusão e caos, contanto que a tristeza seja sempre aceita como um benefício e não como uma maldição. O ressentimento pela tristeza desenvolve úlceras no estômago, pressão alta e hostilidade geral por parte dos outros.

Cada tristeza traz consigo a semente de uma alegria equivalente! Procure a semente, germine-a e colha o benefício da alegria. Quando conseguir fazer isso, você não mais se permitirá ser incomodado por coisa tão trivial quanto um tratamento dentário ou uma cirurgia, mesmo que sejam operações de grande porte. Em vez de se consolar quando deparar com a tristeza, olhe em volta até encontrar alguém com uma tristeza maior que a sua e ajude-o a dominá-la. E eis que sua própria tristeza terá sido transmutada em remédio para o corpo e a alma — o tipo de remédio com que você pode curar muitos outros tipos de experiências desagradáveis.

Capítulo 10

A DEFINIÇÃO DE PROPÓSITO DA NATUREZA

O OITAVO MILAGRE DA VIDA

A existência de leis naturais imutáveis é um milagre que salvaguarda todos os planos e propósitos da natureza e assegura que o plano geral do universo seja executado sem a possibilidade de interferência do homem.

A lei da força cósmica do hábito é a controladora de todas as outras leis naturais e é o poder que fixa todos os hábitos de todos os seres nas categorias de vida inferiores ao homem. Também fixa os hábitos da energia e da matéria, bem como as distâncias e relações entre todas as estrelas e planetas.

Somente o homem foi dotado do privilégio e dos meios para fixar seus próprios hábitos, bons ou maus. Os hábitos de todos os seres vivos em plano inferior de existência foram fixados pelo que chamamos de "instinto", e o instinto padrão de cada ser vivo no plano inferior representa as limitações e a plena amplidão de suas atitudes.

O privilégio do homem de criar e romper seus próprios hábitos foi deixado tão decididamente em suas mãos que ele não é coibido por nenhum tipo de limitação herdada, que é o caso de todas as formas inferiores de vida. A grande verdade universal, "o que quer que a mente do homem possa conceber e acreditar a mente pode alcançar", tem sólido fundamento graças ao poder do homem de romper todos os hábitos nele cingidos pela força cósmica do hábito e suplementá-los com outros hábitos de sua escolha.

Uma vez que o homem escolha uma meta e crie planos para alcançá-la, a força cósmica do hábito fixará todos os hábitos relativos à meta a fim de levar o homem automaticamente na direção da meta. Entretanto, o homem pode quebrar esses hábitos conforme sua vontade e implementar um conjunto inteiramente novo de hábitos para atingir seu objetivo.

O poder de escolha na seleção e controle dos hábitos dá ao homem uma condição apenas um degrau abaixo da Inteligência Infinita e de fato concede o privilégio de recorrer à vontade às forças da Inteligência Infinita para alcançar todas as suas metas e propósitos. Como evidência para sustentar essa observação, basta fazer o inventário das realizações humanas durante a primeira metade do século 20, na qual o homem revelou mais segredos cuidadosamente ocultos da natureza do que os desvendados ao longo de toda a existência prévia da humanidade.

Passo a passo, pelo exercício de hábitos autoestabelecidos de pensamento, o homem foi conduzido à era de apertar botões, que lhe permite, figurativamente falando, suprir todas as necessidades sentando-se calmamente e apertando botões que enviam vibrações em qualquer direção desejada.

Talvez esse avanço evolutivo da humanidade, com o qual foram transferidos para as máquinas trabalhos que antes eram executados à mão, seja apenas uma parte do plano da natureza para apresentar ao homem seu próprio poder mental pelo processo de eliminação. Quando não houver mais nenhuma necessidade de usar o poder físico, o homem então terá tempo para descobrir e usar seu poder mental e, com essa descoberta, talvez entenda que pode fazer todas as coisas que o Nazareno desafiou-o a fazer — "coisas ainda maiores do que as que eu fiz".

As estrelas, planetas e a matéria de que são constituídos relacionam-se uns com os outros pelos hábitos fixados pela natureza, operando pela lei da força cósmica do hábito. O dia e a noite, as estações do ano, a lei do equilíbrio e todo ser vivo, exceto o homem, são coibidos por hábitos inexoráveis que tornam seus movimentos e ações perfeitamente previsíveis por longos períodos de tempo e com muita antecedência.

Somente o homem recebeu o privilégio de estabelecer seu destino neste mundo, com o direito de torná-lo agradável ou desagradável, bem-sucedido ou malsucedido, rico ou pobre, e suas realizações são sempre imprevisíveis porque seu poder potencial é ilimitado.

Caso tivesse mais dois privilégios além dos que possui hoje, o homem estaria em pé de igualdade com o Criador, sendo eles (1) o privilégio de vir ao mundo em um nascimento de sua escolha e (2) o privilégio de permanecer entre os vivos pelo tempo que desejasse. O homem tem controle potencial sobre quase tudo o mais, mas, raramente descobre os poderes disponíveis ou faz qualquer tentativa de usar tais poderes para a ascensão pessoal ou para fazer deste um mundo melhor.

Na maior parte do tempo, o homem acomoda-se em uma espécie de esforço de cabo de guerra, com forças que se tornam hostis porque ele não as entende — forças como os grandes milagres da vida — e alegremente contenta-se na vida tendo um lugar para dormir, um pouco de comida para encher a barriga e roupas suficientes para ocultar a nudez.

Muito de vez em quando um indivíduo sai da procissão dos seres humanos, toma posse de sua mente, reconhece seus poderes e faz uso deles. Aí o mundo descobre um Edison, ou um Ford, ou um Luther Burbank, ou um Alexander Graham Bell, ou um Henry Kaiser — homens que removeram todas as limitações autoimpostas porque aprenderam a verdade de que "o que quer que a mente possa conceber e acreditar a mente pode alcançar".

Gênios? Sim, porque gênio é simplesmente uma questão de autodescoberta!

Conheça a si mesmo — seu "outro eu" que não reconhece limitações — e você pode se tornar "o senhor do seu destino, o capitão da sua alma", e a paz mental virá tão naturalmente quanto fazer uma refeição quando se está com fome.

A maior fraqueza do homem consiste não nas riquezas que não possui, mas no fracasso em fazer uso das que tem! Em cada geração, menos de 1% das pessoas tomam a tocha da civilização e a carregam para o benefício da geração seguinte. A civilização é mantida em marcha por aqueles que descobrem e usam sua própria mente. O mesmo é válido na média dos empreendimentos empresariais, onde um número relativamente pequeno de indivíduos ligados ao negócio é responsável pela operação bem-sucedida. Os outros estão ali de corpo, mas não em espírito e com frequência tiram do negócio mais do que contribuem para ele.

A natureza não vacila, não procrastina, não muda de planos e nisso estabelece um belo exemplo a ser seguido pelas pessoas. Os bem-sucedidos seguem o exemplo, os fracassados não.

Uma das impressionantes descobertas a mim revelada durante o contato com pessoas bem-sucedidas que ajudaram a organizar a Ciência do Sucesso consistiu no fato de que elas agiram com definição de propósito e nunca hesitaram, desaceleraram ou desistiram quando a coisa ficou difícil. Elas tiveram sucesso porque sabiam o que desejavam, traçaram planos para alcançá-lo e seguiram tais planos até serem recompensadas com o sucesso.

Ao observar gente bem-sucedida que fica firme no objetivo durante fracasso atrás de fracasso, muitas vezes pensei que a Inteligência Infinita coloca-se ao lado daquelas que não desistem quando os obstáculos têm que ser suplantados, pois de algum modo essas pessoas no fim sempre triunfam, não importa quantas desvantagens tenham que dominar.

Quando ouvi pela primeira vez que Thomas Edison superou mais de dez mil fracassos antes de achar o segredo da lâmpada elétrica incandescente, indaguei como algum ser humano podia ou iria pagar preço tão alto por uma vitória. Mais tarde, ao ficar intimamente familiarizado com a mente de Edison e o método que ele aplicava para a solução de problemas, descobri que foram os efeitos disciplinadores desses dez mil fracassos que fizeram dele o maior inventor de todos os tempos.

Edison deve ter reconhecido, ao deparar com um fracasso atrás do outro, que a persistência enfim o levaria ao segredo que ele buscava. Sou levado a essa conclusão por causa de minhas experiências em momentos de fracasso enquanto pesquisava as causas do sucesso e do fracasso, pois cada fracasso com que deparei teve o efeito de apenas me deixar mais decidido a seguir em frente até chegar ao sucesso. Aquela vozinha interior que fala conosco dizia para eu não desistir quando era atingido pela derrota.

Se pudéssemos experimentar uma única vez os danos das dores físicas e mentais sentidas por aqueles que suportam o período de esforço antes de deparar com a vitória nas esferas superiores da realização humana, ficaríamos totalmente envergonhados de admitir o medo de uma experiência tão trivial quanto uma cirurgia dentária ou operações de grande porte.

Capítulo 11

O MINUCIOSO SISTEMA DE CONTABILIDADE DA NATUREZA

O NONO MILAGRE DA VIDA

O equilíbrio universal é outro instrumento com que a natureza mantém um balanço perfeito entre tudo que existe por todo o universo, incluindo (1) tempo, (2) espaço, (3) energia, (4) matéria e (5) inteligência, e é por meio dele que esses fatores conhecidos são moldados em cada forma específica conhecida pelo homem.

Pela operação dessa lei automática, a natureza torna compulsório que cada pessoa seja forçada a provar das experiências amargas e doces da vida, mas sábia e sagazmente injetou na lei um agente compensador que ajuda o indivíduo a equilibrar o amargo e o doce de acordo com suas necessidades e desejos. Essa provisão foi necessária porque o plano geral do Criador provê o homem de controle inquestionável sobre sua mente, com o privilégio de direcioná-la para finalidades amargas ou doces.

Pela operação desse instrumento de compensação, que é parte da grande lei do equilíbrio universal, cada adversidade, cada derrota, cada fracasso, cada decepção, cada frustração humana de qualquer natureza ou causa, traz consigo, na circunstância em si, a semente de um benefício equivalente. Nunca é demais enfatizar esse fato, daí a repetição.

Sob as provisões desse instrumento de compensação, toda pessoa tem o direito e o poder de encontrar a semente de benefício equivalente em cada experiência indesejável ou desagradável que possa atingi-la, seja a experiência de sua própria criação ou algo além de seu controle, e germinar a semente em flor plenamente desabrochada, depois em fruto maduro de alguma coisa desejável que compense pela adversidade que produziu a semente.

Aqui encontramos evidência abundante da Inteligência Infinita que afeta a relação existente entre o indivíduo consigo mesmo e com os outros. A natureza projetou as leis naturais de tal modo que é impossível injustiça para aqueles que aprendem a interpretar tais leis e viver de acordo com elas. A injustiça é uma instituição puramente humana, que não existe em parte alguma, exceto nas relações entre os homens. No relacionamento do homem com as leis naturais do universo não pode haver injustiça porque as leis proveem com sagacidade o método pelo qual o homem automaticamente pune-se por seus erros e pode compensar-se por suas virtudes, interpretando corretamente as leis da natureza e se adaptando a elas de modo harmonioso.

Existem dois tipos de circunstância que afetam a vida das pessoas:

1. Circunstâncias que não se originam como resultado de algo que o indivíduo faz ou deixa de fazer e que, portanto, não estão sujeitas ao controle dele. Entre tais circunstâncias constam, por exemplo, a morte de entes queridos, o nascimento com moléstias físicas de tal natureza que não possam ser corrigidas ou o nascimento em classes raciais desfavorecidas.

2. Circunstâncias sobre as quais o indivíduo tem o privilégio do controle e o poder para exercer tal privilégio, como, por exemplo,

medo, ganância, ciúme, vaidade, egotismo, luxúria, ódio, inveja, má saúde, pobreza, controvérsias com parentes, vizinhos ou sócios de negócios, antagonismo com outros por causa de política, religião e visões pessoais. Essa lista pode ser estendida a praticamente todas as relações humanas, mas, em última análise, abrange circunstâncias que afetam a vida e sobre as quais o indivíduo dispõe de meios de controle, não obstante possa exercer tal controle raramente.

As circunstâncias do grupo 1, que não estão sob o controle do indivíduo, podem ter sua influência sobre a paz mental bloqueada pelo simples exercício da grande prerrogativa proporcionada pelo Criador, pela qual todo indivíduo tem o poder de estabelecer e controlar sua atitude mental e direcionar o poder de seu pensamento para qualquer finalidade desejada, incluindo o controle absoluto de sua reação a todas as experiências da vida. Em outras palavras, as circunstâncias que não podem ser controladas podem ser eliminadas da influência sobre a atitude mental de modo que não existam, e o indivíduo pode comportar-se exatamente como se não existissem. É uma tarefa difícil, alguém pode reclamar. Sim, é, mas a maneira como pode ficar fácil será revelada mais tarde, em nossa viagem pelo Vale dos Milagres.

As circunstâncias do grupo 2, que estão sob controle do indivíduo, podem ser manejadas com o auxílio do mais importante e poderoso de todos os grandes milagres.

A lei do equilíbrio universal estende-se não apenas aos seres humanos em todos os seus problemas e relacionamentos uns com os outros, mas também às árvores e todas as coisas que crescem da terra. Observe, por exemplo, a engenharia e o equilíbrio simétrico perfeitos de uma árvore, com os galhos pendendo de todos os lados para manter a árvore em equilíbrio, as raízes proporcionais ao tronco e aos galhos e enterrada no solo na profundidade adequada — uma obra de engenharia que nenhum homem poderia duplicar.

O equilíbrio universal estende-se também a toda matéria inanimada, até as menores unidades — os elétrons e prótons do átomo, mantidos em perfeito equilíbrio por duas unidades de igual poder, uma negativa e outra positiva —, operado por uma espécie de cabo de guerra puxado até um ponto de impasse que gera o equilíbrio.

Em toda parte do nosso universo que tivemos condições de explorar, encontramos um sistema perfeito de equilíbrio entre todas as estrelas, planetas e matéria nebulosa que ainda não assumiu a forma de planetas ou estrelas. Se a lei do equilíbrio não existisse, haveria caos constante por causa das colisões de estrelas e planetas, e as estações do ano e o dia e a noite não seriam regulados, nem seus hábitos seriam previsíveis.

A maioria de nós pode não nutrir grande interesse pelo equilíbrio das estrelas e planetas, mas todos nós temos vivo interesse pelos métodos com que podemos tirar plena vantagem da grande lei universal do equilíbrio universal para ajustar as circunstâncias que afetam nossa vida individual a fim de nos beneficiarmos. A melhor forma de assegurar benefícios dessa grande lei é primeiro tomar posse de nosso pensamento e usá-lo para nos relacionarmos com as circunstâncias que podemos controlar de modo que nos seja favorável; segundo, usar o mesmo poder do pensamento para nos ajustarmos de modo benéfico a todas as circunstâncias que afetam nossa vida e que não podemos controlar.

A partir dessa breve análise da lei do equilíbrio somos animados e encorajados ao observar que a lei mantém tudo no universo de acordo com o padrão e plano estabelecido pela natureza, exceto o homem — a única criatura viva com o poder de desviar dessa influência e de todas as outras leis naturais, se e quando escolhe fazer isso, e disposta a pagar o preço pelo desvio.

Se você está buscando o segredo supremo do sucesso em todas as atividades humanas, eis aqui um ponto muito apropriado para parar, ponderar, meditar e pensar, na esperança de que aquela vozinha interior possa abençoá-lo com o conhecimento que você busca.

Capítulo 12

TEMPO: A CURA UNIVERSAL DA NATUREZA PARA TODOS OS MALES

O DÉCIMO MILAGRE DA VIDA

O tempo é o grande médico universal dos males humanos, tendo como agente principal o éter, a energia que conecta todas as coisas umas às outras no universo. O tempo é o grande curador das feridas, tanto físicas quanto mentais, e é o transformador de todas as causas em seus efeitos apropriados.

O tempo negocia a juventude irracional pela maturidade e sabedoria!

O tempo transmuta as feridas do coração e as frustrações de nossa vida cotidiana em coragem, resistência e entendimento. Sem esse serviço bondoso e beneficente, a maioria dos indivíduos estaria perdida no começo da juventude.

O tempo amadurece os grãos nos campos e as frutas nas árvores, deixando-os prontos para o desfrute e alimentação humanos.

O tempo dá aos esquentados a chance de esfriarem e ficarem racionais.

O tempo nos ajuda a descobrir as grandes leis da natureza pelo método de tentativa e erro e a lucrar com nossos erros de julgamento.

O tempo é nosso bem mais precioso, pois não podemos ter certeza de dispor de mais do que um segundo em qualquer data ou lugar.

O tempo é o agente da misericórdia com que podemos nos arrepender de pecados e erros e obter conhecimento útil dali em diante.

O tempo favorece aquele que interpreta as leis da natureza corretamente e as adota como guias para corrigir hábitos de vida, mas golpeia com pesadas penalidades quem ignora ou negligencia as leis.

O tempo é o manipulador mestre da lei universal da força cósmica do hábito, o fixador de todos os hábitos, tanto das criaturas vivas quanto das coisas inanimadas. O tempo também é o manipulador mestre da lei menor da compensação, pela qual todos colhem o que plantam. (A operação positiva dessa lei é chamada de lei dos retornos crescentes; a operação negativa é chamada de lei dos retornos decrescentes.)

O tempo nem sempre opera a lei da compensação com rapidez, mas decididamente a opera, de acordo com hábitos e padrões fixos que o filósofo entende e pelos quais pode antever a natureza de eventos vindouros examinando a causa de onde estão por brotar.

O tempo também é o manipulador mestre da grande lei da mudança, que mantém todas as coisas e todas as pessoas em estado de fluxo constante e jamais permite que permaneçam iguais por dois minutos seguidos. Essa verdade vem repleta de benefícios de proporções estupendas, pois proporciona os meios pelos quais podemos corrigir nossos erros, eliminar nossos temores falsos e hábitos frágeis e trocar a ignorância por sabedoria e paz mental à medida que ficamos mais velhos.

Veja suas experiências passadas e faça a conta das vezes em que seu coração perturbado não teve sossego de suas dores a não ser pela mão misericordiosa do doutor tempo.

Se você fracassou nos negócios ou em alguma atividade que escolheu como carreira, pode ter observado que o tempo veio em socorro com outras e talvez maiores oportunidades e que você regozijou-se por ter sido desviado de curso para uma via expressa mais suave e ampla de oportunidades.

Na próxima ocasião em que se encontrar desperdiçando um único segundo precioso de tempo, esse agente da oportunidade, copie a seguinte resolução, decore-a e comece a executá-la imediatamente.

Meu compromisso com o doutor tempo

1. O tempo é meu maior bem e devo me relacionar com ele em um sistema de orçamento que disponha que cada segundo não dedicado ao sono seja usado para o autoaperfeiçoamento.

2. No futuro devo considerar a perda de qualquer porção de meu tempo por causa de negligência como um pecado que devo expiar mediante melhor uso de uma quantidade equivalente no futuro.

3. Reconhecendo que colherei o que semeio, semearei apenas as sementes de serviço que possam beneficiar os outros bem como a mim, e com isso me lançarei no caminho da grande lei da compensação.

4. No futuro, devo usar meu tempo de tal modo que cada dia me traga certa medida de paz mental, na ausência da qual devo reconhecer que a semente que andei plantando precisa ser reexaminada.

5. Sabendo que meus hábitos de pensamento tornam-se os padrões que atraem todas as circunstâncias que afetam minha vida no decorrer do lapso de tempo, devo manter minha mente tão ocupada com as circunstâncias que desejo que não sobre tempo para dedicar-se a medos, frustrações e coisas que não desejo.

6. Reconhecendo que minha cota de tempo no plano terreno é na melhor das hipóteses indefinida e limitada, devo me empenhar de todas as formas possíveis em usar minha cota de maneira que aqueles próximos a mim beneficiem-se de minha influência e sejam inspirados por meu exemplo a fazer o melhor uso possível de seu tempo.

7. Finalmente, quando minha cota de tempo houver expirado, espero poder deixar para trás um monumento em meu nome — não um monumento em pedra, mas no coração dos homens —, um monumento cuja identificação testemunhe que o mundo tornou-se um pouco melhor em virtude de minha passagem.

8. Repetirei esse compromisso todos os dias durante o resto de minha cota de tempo e irei respaldá-lo com a crença de que vou melhorar meu caráter e inspirar aqueles que eu possa influenciar para igualmente melhorarem sua vida.

Os ponteiros do relógio do tempo movem-se rapidamente em frente! Bradamos: "Para trás, volte atrás em seu deslocamento veloz, ó tempo", mas o tempo não dá ouvidos a nossos brados.

É mais tarde do que você pensa!

Acorde, companheiro viajante, desperte e tome posse de sua mente enquanto ainda tem tempo suficiente, durante o futuro ainda não esgotado, para se tornar aquilo que gostaria de ter sido no passado.

Faça o máximo de sua presente cota de tempo, na esperança de que não terá que reencarnar a fim de fazer todo o serviço outra vez por causa da negligência.

Você foi avisado!

Agora a responsabilidade é sua. Existe um teste simples com que você pode julgar se tem usado o tempo da maneira mais vantajosa ou não. Se você obteve paz mental e riqueza material suficientes para suas necessidades, seu tempo foi usado de modo apropriado. Se não obteve essas bênçãos, seu tempo não foi usado de modo apropriado e você deve começar a procurar agora as circunstâncias em que ficou a dever.

As pessoas realmente grandes não conhecem a tal realidade de "tempo ocioso" porque mantêm a mente permanentemente engrenada em padrões de pensamento construtivo. Com esse uso intenso do tempo, desenvolvem um sexto sentido alerta com o qual olham, escutam e veem a partir de seu interior.

Se pensamentos negativos vagueiam pela mente dos realmente grandes, são imediatamente transmutados em pensamentos positivos, exercitados por ação física positiva adequada à natureza deles.

Tique-taque, tique-taque — o pêndulo do relógio do tempo está oscilando rapidamente!

A face da civilização está passando por uma cirurgia plástica.

O Sr. Certo e o Sr. Errado estão engajados em combate mortal pela supremacia. Chegou a hora de todos levantarem-se e serem contados.

O uso que cada um de nós faz de sua cota individual de tempo dirá de que lado cada um está — do Sr. Certo ou do Sr. Errado.

Alguma coisa acelerou tanto o relógio do tempo que a segunda metade do século 20 revelará à humanidade mais oportunidades individuais de autoaperfeiçoamento do que o revelado em todo o passado da experiência humana.

Sua parte dessas vastas oportunidades podem ser tomadas e utilizadas apenas segundo a maneira como você relaciona-se com o tempo!

Capítulo 13

O ESTILO DE VIDA AMERICANO LIBERTA OS HOMENS

O DÉCIMO PRIMEIRO MILAGRE DA VIDA

A liberdade do estilo de vida americano é um dos grandes milagres de todos tempos. Nos Estados Unidos, o cenário foi montado e o caminho foi preparado como em nenhum outro lugar deste mundo, em nenhuma outra época, para o homem tomar plena e completa posse de sua mente e direcioná-la para quaisquer fins que deseje.

O estilo de vida americano nasceu do derramamento de lágrimas de sangue e amadureceu pela privação e esforço que incidiram sobre a vida de cada cidadão da nação; tudo isso indica que nosso estilo de vida harmoniza-se em cada detalhe com o plano do Criador que permite a todo homem tornar-se livre pelo exercício de sua mente.

A evidência de que essa é uma terra de oportunidades, onde toda pessoa pode escolher seu objetivo de vida e alcançá-lo pela operação de sua mente, está disponível em abundância esmagadora. Onde mais neste mundo, com exceção da América, um imigrante italiano inculto como Amadeo Pietro Giannini poderia começar a carreira empurrando um carrinho de banana e por seus esforços elevar-se a proprietário do maior sistema bancário do mundo — o Bank of America?

Onde mais a não ser na América um jovem mecânico inculto poderia dar origem a um empreendimento como a indústria automobilística e, sem capital inicial, escalar do começo humilde até um império mundial com uma fortuna fabulosa e proporcionar emprego para centenas de milhares de pessoas, como fez Henry Ford?

E onde, exceto nos Estados Unidos, o operário mais humilde desfruta de mais comodidades de vida que reis e potentados de poucas gerações atrás?

Onde mais na terra, exceto nos Estados Unidos, todo cidadão é provido de motivos adequados de autoengrandecimento suficientes para inspirá-lo a agir por iniciativa pessoal, escolher sua carreira, pensar por si e expressar seus pensamentos da maneira que escolher?

Onde mais cada filho varão nasce como detentor potencial do mais alto cargo que o povo tem a oferecer e onde mais um cargo tão elevado foi administrado com sucesso por um humilde ferroviário?

Onde, exceto nos Estados Unidos da América, um camarada inculto poderia escolher como carreira o negócio de invenções, cercar-se de um MasterMind de homens com habilidades científicas e se tornar um dos maiores inventores de todos os tempos, como fez Thomas Edison?

Apresentei essas perguntas a vocês, que desfrutam da generosidade do grande estilo de vida americano, na esperança de que, ao ler este livro, respondam cada um a seu modo, de acordo com os benefícios que esse país possa ter proporcionado; e, ao procurar as respostas em seu coração e mente, aprendam a avaliar melhor as vastas oportunidades abertas a vocês em qualquer vocação que escolham.

Antes de encerrarmos essa análise do grande estilo de vida americano, vamos recordar que essa herança permanecerá sendo nossa apenas enquanto a reconhecermos, usarmos de modo adequado e a protegermos. Como todas as outras bênçãos concedidas ao homem pela mãe natureza, nossos direitos aos privilégios de que desfrutamos na América só permanecerão enquanto tivermos direito a eles. A natureza olha com grande desagrado a ideia de algo a troco de nada.

Capítulo 14

A SABEDORIA ROUBA O AGUILHÃO DA MORTE

O DÉCIMO SEGUNDO MILAGRE DA VIDA

O mistério da morte. Pode ser difícil para a maioria das pessoas interpretar a morte como qualquer coisa além de uma tragédia inevitável, mas essa visão limitada do assunto pode ser ampliada levando-se em conta o plano geral do universo, que está em constante estado de fluxo, constantemente em eterna mudança.

O homem chega ao plano terreno sem seu conhecimento ou consentimento, permanece um tempo na grande escola da vida e então passa para outro plano de inteligência sem seu consentimento. Não faz parte do plano do Criador que o homem viva para sempre no plano terreno, e seria uma tragédia se isso fosse parte do plano geral.

Pode alguém imaginar algo mais amedrontador do que ser obrigado a permanecer para sempre nesse plano terreno de esforço, onde a vida depende da eterna vigilância do indivíduo?

O ciclo da vida é parecido com o sistema de ensino moderno. Entramos no jardim de infância, dali nos graduamos para o ensino fundamental, depois o ensino médio e aí entramos no último estágio, indo para a faculdade. O objetivo principal por trás do breve interlúdio do homem na terra parece ser a educação.

Se não houvesse um dispositivo como a morte, pense nos homens maus que o mundo conheceu, homens que ainda estariam vivos e tornando a vida uma desgraça para todos — os pretensos conquistadores e autoproclamados ditadores que, desde a aurora da civilização, buscaram escravizar a humanidade.

A morte não passa de uma forma estendida de sono durante o qual o indivíduo troca o corpo físico cansado e desgastado por um corpo inesgotável e eterno. Portanto, é uma circunstância sobre a qual o indivíduo não tem controle final e deve ser aceita como tal e descartada da mente.

Entenda a lei da mudança que faz parte do sistema universal, e a morte se torna compreensível e pode ser prontamente aceita como uma necessidade. A lei eterna da mudança e a vida eterna no plano terreno não poderiam coexistir no universo.

O indivíduo pode temer a morte, ter um medo horrível de encará-la e olhá-la como uma tragédia, mas infelizmente o indivíduo é apenas um peão no plano geral do universo e, como tal, seus desejos e meios para satisfazê-los estão inteiramente confinados ao breve interlúdio conhecido como vida, sendo que o indivíduo recebe carta branca para dispor dessa breve visita da maneira que lhe agradar.

A atitude do filósofo em relação à morte parece sensata. Ele a aceita como uma circunstância sobre a qual possui apenas um leve e limitado controle; portanto, ajusta-se ao espírito de crença neutro de que, quando ela chegar, ele estará pronto e então descarta o assunto e dedica sua energia para fazer a vida render todos os benefícios que possa dentro das circunstâncias sobre as quais ele tem controle.

Para o filósofo, aqueles que temem a morte insultam o Criador. O filósofo aceita toda circunstância que toca sua vida como grãos para o moinho da vida e prontamente ajusta-se a todas essas circunstâncias da forma mais adequada a capacitar-se para se beneficiar delas.

Alguns dos grandes milagres constituem os principais obstáculos no caminho para a paz mental da maioria das pessoas. O objetivo da análise dos milagres da vida é ajudar o indivíduo a se relacionar com eles em uma atitude mental que os transforme de coisas a serem temidas em circunstâncias que possam tornar-se benéficas a seus interesses.

Pela análise dos grandes milagres, o "pássaro da preocupação" (que a maioria das pessoas alimenta desnecessariamente) é privado do alimento para continuar vivo, e o caminho para a paz mental fica livre, baseado na aceitação de todas as circunstâncias da vida simplesmente como elas são.

Minha esperança é que, ao terminar este capítulo, cada um que tenha lido este livro esteja condicionado a interpretar e aplicar adequadamente os princípios estabelecidos nos capítulos anteriores, planejados para ajudar o indivíduo a se relacionar com os milagres de modo que proporcionem os maiores benefícios.

Quando essa esperança for realizada, você então terá encontrado a paz mental que irá perdurar pelo resto de sua vida.

As afirmações que fiz nessa análise não são importantes. Mas o seu pensamento que as afirmações possam ter inspirado é importante! Pois pode muito bem ser que esse pensamento lhe proporcione uma mudança de atitude em relação à vida que a tornará mais doce à medida que se escoam os anos por vir.

Capítulo 15

O PODER ILIMITADO DA MENTE
O DÉCIMO TERCEIRO MILAGRE DA VIDA

Por ordem de importância, é a mente do homem que leva a todos os outros milagres da vida, pois a mente é o instrumento com que o indivíduo relaciona-se com todas as coisas e circunstâncias que afetam ou influenciam sua vida.

Sem dúvida a mente humana é o produto mais misterioso da natureza e o que mais inspira assombro; ao mesmo tempo é a menos compreendida e mais frequentemente abusada das imensas dádivas do Criador para o homem.

A mente é a cidadela da alma, é onde situa-se o elo entre o processo de pensamento consciente do homem e a Inteligência Infinita. É o quadro de distribuição, por assim dizer, por onde o homem pode sintonizar e se comunicar diretamente com o grande reservatório universal da Inteligência Infinita e de lá extrair as respostas para todos os seus problemas e o caminho para realizar todas as suas esperanças, sonhos e aspirações.

E, o mais importante de tudo, a mente é a única coisa sobre a qual o Criador deu ao homem o total direito de controle, uma prerrogativa que nem mesmo o Criador deixou de lado, reverteu ou usurpou de algum modo, o que sugere fortemente que a mente foi projetada para uso exclusivo do homem; que é a dádiva mais importante do Criador e o meio para o homem poder controlar a maior parte de seu destino neste mundo.

Todos os sucessos do homem e todos os seus fracassos e frustrações são resultado direto da maneira como ele usa a mente ou negligencia seu uso.

As operações funcionais da mente dividem-se em nove departamentos, parecido com uma empresa bem organizada. Alguns desses departamentos funcionam automaticamente, sem direção do indivíduo, enquanto outros estão sob seu controle o tempo todo.

Eis aqui a lista de todos os departamentos da mente:

1. A FACULDADE DA VONTADE: a vontade é a "chefona" de todos os outros departamentos da mente. É o ponto de partida onde o indivíduo começa a exercer a grande prerrogativa do controle exclusivo sobre seus pensamentos. A faculdade da vontade é o "sim" e o "não" do conjunto da mente. Executa as ordens do indivíduo a despeito de sua natureza ou do efeito que possam ter sobre ele. O poder da vontade permanece forte na exata proporção do uso. Uma vontade ociosa, assim como um braço ocioso, se tornará mole e fraca.

2. A FACULDADE DO RACIOCÍNIO: a faculdade do raciocínio é a "juíza presidente" da mente. Quando tem ordem ou permissão para fazê-lo, emite julgamento sobre todas as ideias, metas, desejos, propósitos e circunstâncias que o indivíduo leva à sua atenção, mas suas decisões podem ser deixadas de lado pela "grande chefona", a vontade, ou neutralizadas pela influência das emoções se a vontade não se afirmar. Uma das principais fraquezas de todo suposto pensamento é a tendência dos indivíduos de permitir que a vontade seja posta de lado pelas emoções. Esse erro poder ser — e muitas vezes é

— trágico, pois as emoções não têm relação com a lógica ou o raciocínio; portanto; toda ação nascida das emoções deve receber cuidadosa atenção da vontade.

3. A FACULDADE DAS EMOÇÕES: cá está o ponto de partida de uma grande parte de todas as ações da mente. As pessoas tomam decisões que se harmonizam com seus "sentimentos" e se envolvem em atividades que não foram antevistas pelas faculdades do raciocínio e da vontade. Tais decisões costumam ser mais insensatas do que sensatas.

O uso imprudente mais comum das emoções, sem a devida atenção das faculdades do raciocínio e da vontade, origina-se da emoção do amor. A emoção do amor compartilha uma qualidade espiritual da mais elevada ordem, mas pode ser — e com frequência é — a mais perigosa de todas as emoções porque as pessoas em geral não a submetem à influência modificadora do raciocínio e da vontade.

Pensadores precisos — pessoas que usam todos os setores de sua mente no processo do pensamento — nunca permitem à emoção do amor expressar-se até suas ações terem sido cuidadosamente vistoriadas pelo raciocínio e pela vontade. Além disso, o pensador preciso submete todos os seus desejos, planos e objetivos mais íntimos ao raciocínio e à vontade para certificar-se de que sua ânsia e entusiasmo não solapem sua sabedoria, e sua emoção do amor está sempre sob suspeita, para que não saia de seu controle.

4. A FACULDADE DA IMAGINAÇÃO: essa faculdade é a arquiteta da alma do homem, com a qual ele pode moldar seu destino neste mundo a seu gosto e trocar ou modificar os padrões sempre que lhe apetecer. Com a ajuda da imaginação, o homem pode penetrar os espaços intergalácticos da infinitude à velocidade da luz, conquistar o céu acima e os mares abaixo dele e criar milhões de ideias e conceitos em seu benefício pela mera combinação de velhas ideias e conceitos em novas formas.

Graças à imaginação, o homem pode combinar fantasia com realismo e moldá-los em impérios vivos de atividades que mudam todo o curso da civilização. Nada é impossível de ser realizado pela imaginação guiada pelas faculdades do raciocínio e da vontade, mas imaginação desenfreada pode causar destruição na vida do indivíduo, e dizem que, quando a emoção do amor e a imaginação juntam-se e saem para farrear desacompanhadas, o indivíduo pode nunca mais recuperar-se do estrago que causam.

A imaginação é o local de origem da enfermidade física conhecida como hipocondria, que se mostrou um grande problema para os médicos. Pode ser também o local de origem da cura da hipocondria, e muitas autoridades abalizadas afirmam que a imaginação exerce influência tão poderosa sobre o corpo físico que pode ativar seu mecanismo de resistência e fazer com que elimine muitos tipos de enfermidades físicas reais.

A imaginação é uma grande instituição cujas potencialidades são praticamente ilimitadas, mas é uma instituição muito ardilosa, que exige supervisão constante das faculdades do raciocínio e da vontade. Pode ser útil você ler a frase anterior muitas vezes, até ficar impressionado pela potência da sugestão contida.

5. A FACULDADE DA CONSCIÊNCIA: temos aqui o departamento da mente que concede orientação moral ao indivíduo. Se permitida funcionar sem interferência, a consciência processa cuidadosamente todas as metas e propósitos do indivíduo e o adverte quando não se harmonizam com as leis morais da natureza. A advertência cessa e a consciência eventualmente para de atuar por completo se o indivíduo negligencia ou fracassa em prestar atenção às advertências.

O indivíduo que tem pleno apoio da consciência em todos os seus desejos, metas e propósitos possui acesso direto à fé necessária para capacitá-lo a realizar aquilo em que coloca seu coração e mente.

6. OS CINCO SENTIDOS FÍSICOS: os cinco sentidos — visão, audição, paladar, olfato e tato — são os "braços" físicos do cérebro, com os quais ele contata o mundo exterior e adquire informação. Os sentidos nem sempre são confiáveis; requerem, portanto, supervisão constante das faculdades do raciocínio e da vontade.

Sob qualquer tipo de atividade altamente emocional, os sentidos com frequência ficam confusos e altamente inconfiáveis, como no caso de medo súbito ou raiva intensa. Não se deve permitir que nenhuma decisão tomada sob influência de medo ou raiva seja adotada até ser minuciosamente verificada pelo raciocínio e pela razão.

7. A FACULDADE DA MEMÓRIA: aqui está o "arquivo" do cérebro, onde são armazenados todos os impulsos, todas as experiências conscientes e todas as sensações que chegam ao cérebro pelos cinco sentidos físicos. A memória também é muito inconfiável, como a maioria das pessoas pode atestar. Necessita, portanto, da supervisão e disciplina da vontade e do raciocínio. A principal causa para a inconfiabilidade da memória é que o "arquivista" — o indivíduo que supervisiona a ação da memória — é descuidado, não tendo um sistema definido de trabalho.

Pode-se tornar a memória razoavelmente confiável com a ajuda de um curso prático de treinamento da memória, tal como o sistema Roth. A confiabilidade da memória é totalmente uma questão de disciplina, supervisão e educação do "arquivista" responsável pelo funcionamento dessa importante faculdade mental.

8. O "SEXTO SENTIDO": essa é a estação transmissora e receptora da mente, por onde se envia e recebe automaticamente vibrações de

158 | **Napoleon Hill**

pensamento e talvez outras vibrações ainda mais altas que emanam de planos de inteligência além de nosso mundo. Esse é o meio de comunicação entre o indivíduo e os guias invisíveis que se acredita estarem disponíveis para servi-lo.

O "sexto sentido" é o meio pelo qual uma mente devidamente qualificada pode comunicar-se com outras mentes a qualquer distância por telepatia. O princípio da telepatia foi reconhecido por autoridades abalizadas como uma realidade viável e os meios pelos quais pode ser colocada a funcionar foram descritos em detalhes em muitos livros, inclusive alguns dos meus.

9. A SEÇÃO SUBCONSCIENTE DA MENTE: esse é o "quadro de distribuição" por onde a seção consciente da mente pode comunicar-se diretamente com a Inteligência Infinita. O subconsciente atua sobre qualquer ideia, plano ou propósito que chegue a ele e não tenta distinguir entre influências positivas e negativas, certas ou erradas. Mas reage mais rápida e eficientemente às influências dotadas de alta carga de emoções, tais como medo, raiva, crença e fé.

A seção subconsciente é dócil às influências da seção consciente da mente, que muitas vezes teimosamente fecha as portas ao subconsciente por meio de medos, limitações e crenças falsas. A fim de driblar essas barricadas montadas pela mente consciente e dar orientações ao subconsciente para a cura de enfermidades físicas, doutores em terapia sugestiva muitas vezes esperam até o indivíduo estar adormecido (às vezes por meio de hipnotismo) e então comunicam-se diretamente com o subconsciente.

Conforme afirmado anteriormente, existe uma máquina que funciona com sucesso para dar ao subconsciente qualquer ordem desejada enquanto o indivíduo está adormecido. As ordens ou instruções são gravadas em um disco de fonógrafo e colocadas na máquina, que toca o disco a cada quinze minutos (até o indivíduo acordar e desligá-la). A máquina é operada por um relógio que pode ser regulado para começar a tocar o disco depois que o indivíduo estiver adormecido.

As referências aos departamentos da mente neste livro são necessariamente breves e não pretendem fazer uma análise exaustiva do assunto, mas apenas dar uma panorâmica dos "mecanismos" de operação da mente humana, junto com uma breve descrição da medida em que tais departamentos estão sob o controle do indivíduo.

Deve-se enfatizar que todo pensamento, seja positivo ou negativo, tende a revestir-se de seu equivalente físico e trata de fazer isso inspirando o indivíduo com ideias, planos e propósitos para alcançar os fins desejados por meios naturais e lógicos. Depois que um pensamento sobre um assunto torna-se hábito pela repetição, é assimilado e automaticamente colocado em ação pelo subconsciente.

Pode não ser verdade que "pensamentos são coisas", mas é verdade que os pensamentos criam coisas, e as coisas assim criadas são impressionantemente semelhantes à natureza dos pensamentos a partir dos quais são moldadas.

Muita gente competente para avaliar com precisão acredita que cada pensamento emitido inicia uma vibração sem fim, com a qual aquele que o libera terá que lidar mais adiante; que o homem nada mais é do que o reflexo físico do pensamento acionado pela Inteligência Infinita. Muitos também acreditam que a energia com que as pessoas pensam nada mais é do que uma porção projetada da Inteligência Infinita, que o indivíduo toma para si da fonte universal pelo equipamento do cérebro.

Chegamos agora ao ponto em que devemos começar a explicar os meios pelos quais a mente pode ser condicionada para tratamento dentário, cirurgias extensas ou qualquer outra experiência desagradável que se tenha que encarar.

O condicionamento da mente deve ser feito inteiramente pelo subconsciente. Portanto, vamos dar mais uma olhada nos meios pelos quais pode-se chegar ao subconsciente e direcioná-lo à vontade para qualquer finalidade.

Você não pode controlar inteiramente seu subconsciente, mas pode influenciá-lo voluntariamente a agir em qualquer desejo, plano ou propósito que deseje traduzir em forma concreta.

O subconsciente nunca permanece ocioso. Se você negligencia mantê-lo ocupado com desejos de sua escolha, ele se alimentará dos pensamentos inspirados pelo ambiente, especialmente aqueles associados a coisas que você não quer, teme ou de que não gosta.

Quer reconheça ou não, no cotidiano você vive em meio a todo tipo de impulsos de pensamento que chegam a seu subconsciente sem o seu conhecimento. Alguns desses impulsos são negativos, alguns são positivos. Você agora está prestes a aprender como cortar o fluxo de influências negativas que chegam a você e o influenciam e os meios pelos quais essas influências negativas, incluindo todos os medos, podem ser suplantadas por desejos, planos e propósitos de sua escolha, incluindo em especial os meios de dominar a dor física.

Quando dominar a técnica que está prestes a receber e aprender a aplicá-la, você possuirá a chave que destranca a porta do seu subconsciente e controlará essa porta tão completamente que pensamentos ou influências indesejáveis não poderão passar por ela.

Antes de descrevermos os métodos de abordagem do subconsciente, você deve reconhecer que existem duas portas para o subconsciente. Uma porta abre-se para o mundo físico onde você vive, e o mundo só pode entrar por ela. A outra porta abre-se para dentro e conecta-se diretamente ao grande reservatório universal da Inteligência Infinita.

É por essas duas portas que a prece atua.

É por essas duas portas que as esperanças, desejos e planos podem ser cumpridos mediante a definição de objetivo e o desejo ardente de realização.

É por essas duas portas que todos os medos, dúvidas e desencorajamentos são traduzidos nas misérias da vida, caso seja permitido à mente subconsciente deter-se nessas condições indesejáveis. Cada pensamento que se envia para o subconsciente, cada pensamento que chega ao subconsciente pela negligência em processar e rejeitar pensamentos negativos inspirados pelo ambiente é automaticamente aceito pelo subconsciente e ativado.

Uma das maiores incoerências da humanidade é que a maioria das pessoas passa a vida com a mente amplamente devotada a pensar em todas as coisas e circunstâncias que elas não querem — pobreza, fracasso, má saúde, infelicidade e dor física — e elas indagam por que são amaldiçoadas com todas essas condições indesejáveis.

A mente atrai o exato equivalente material daquilo que se pensa com mais frequência. Junto com essa afirmação, lembre que o Criador proveu toda pessoa normal com o direito e o poder completo e imutável de controlar e dirigir seu poder mental para quaisquer finalidades escolhidas e você não terá dificuldade em reconhecer que todas as circunstâncias indesejáveis com que uma pessoa depara são resultado da negligência em tomar posse da mente e guiá-la para os fins desejados.

Hipocondria, a palavra crucial

Hipocondria significa enfermidade física imaginária! É uma afirmação conservadora dizer que essa enfermidade causa mais problemas para médicos e dentistas do que todas as enfermidades reais conhecidas pela humanidade. O medo dos problemas de saúde e de seu primo-irmão, o medo da dor física, são estados mentais herdados e constituem um dos sete medos básicos de que todas as pessoas sofrem vez que outra.

Em minhas palestras públicas há alguns anos, fiz demonstrações impressionantes da natureza do medo inato de problemas de saúde e dor física — demonstrações que provaram que pessoas sem um único vestígio de enfermidade física podem ficar violentamente enfermas por mera sugestão.

A técnica com que isso foi demonstrado é muito simples. A demonstração foi realizada com a ajuda de quatro assistentes, situados secretamente em vários lugares dentro e fora do auditório onde eu palestrava. Uma "vítima" foi secretamente escolhida na plateia por um comitê dos meus alunos. No intervalo, mediante combinação prévia com meus "ajudantes", cada um deles abordou a "vítima" com perguntas.

O ajudante número 1 perguntou: "Você não está se sentindo bem? Parece doente". O ajudante número 2 chegava apressado na "vítima" e exclamava com voz agitada: "Ei, meu amigo, parece que você está prestes a desmaiar! Posso lhe trazer uma água?". O ajudante número 3 logo aparecia e dizia para a vítima: "Me dê sua mão. Parece que você está prestes a desfalecer". Então, virando-se para os que estavam olhando, acrescentava: "Aqui, pessoal, ajudem-me a encontrar um local para essa pessoa deitar. Ele está doente".

Se a "vítima" não tivesse de fato desmaiado até então, em geral desmaiava quando o quarto ajudante chegava, pegava-o pelo braço e gritava: "Alguém chame um médico depressa. Essa pessoa necessita de atendimento".

Realizei esse experimento várias vezes e não houve ocasião em que não deixasse a "vítima" temporariamente enferma. Certa vez a pessoa escolhida para o experimento, um homem na faixa dos trinta anos, desfaleceu tão completamente que precisou ser hospitalizado por um breve período. Os médicos enfim convenceram-no de que ele fora vítima de uma experiência ardilosa.

Depois desse episódio, não tentei mais experimentos dessa natureza.

Convença o subconsciente de que você está enfermo, e ele irá trabalhar na mesma hora para levar a convicção à conclusão lógica, deixando-o realmente enfermo. A hipocondria muitas vezes produz sintomas físicos reais de uma enfermidade, tais como erupção cutânea, indisposição estomacal ou dor de cabeça, quando a verdadeira causa nada mais é do que medo.

Detentos da Penitenciária Estadual de Ohio antigamente pregavam uma peça cruel nos recém-chegados à prisão. A peça consistia em um comitê dos presos acusar o novato de alguma infração imaginária das regras da prisão e então condená-lo à morte. A vítima era vendada, as mãos eram atadas atrás do corpo, e a cabeça era colocada em cima de um barril, com vários homens segurando firme. A seguir alguém da gangue perguntava se a faca estava bem afiada. Um outro respondia: "Sim, afiei logo depois que matamos o último homem. Aqui está — agora vamos dar jeito nele para que não possa gritar".

Concluída essa parte da cerimônia, passavam um pente áspero no pescoço da vítima, rapidamente acompanhado de tinta vermelha derramada em cima do pescoço. A seguir a vítima era solta, e todos corriam para se esconder. Geralmente a primeira coisa que a vítima fazia era arrancar a venda dos olhos e passar as mãos no pescoço, o que é claro que levava a pensar que a garganta fora cortada, pois havia "sangue" nas mãos.

Em certa ocasião, uma vítima ficou tão horrivelmente apavorada que saiu correndo e gritando que havia sido assassinada. O detento teve que ser capturado e subjugado pelos guardas da prisão, ficando depois hospitalizado por vários dias para se recuperar do choque, não obstante poder ver claramente que a garganta não fora cortada.

O medo de doenças e o medo de dor física são medos inatos, que vêm à tona e tomam conta à menor provocação. Entretanto, o medo em si é sempre muito pior do que a coisa temida. Como disse Franklin Roosevelt em seu primeiro mandato, quando o país foi amaldiçoado por um surto de medo: "A única coisa de que temos que ter medo é do medo em si". Essa verdade pode muito bem ser parafraseada no medo de tratamento dentário, pois as técnicas odontológicas modernas removeram praticamente toda a dor física de cada parte do corpo do paciente, exceto uma — o cérebro, onde o medo da dor existe como uma condição mental criada muito antes da pessoa sentar na cadeira do dentista.

Como chegar ao subconsciente e influenciá-lo

A seção subconsciente da mente recebe influências ativadoras de três fontes. Primeiro, de todas as fontes externas que transmitem influências ao indivíduo por meio dos cinco sentidos físicos, incluindo, é claro, as palavras e ações de outros que chamam atenção. Em segundo, do sexto sentido, que capta pensamentos emitidos por outros e os transmite ao indivíduo por telepatia. Em terceiro, dos pensamentos do indivíduo, incluindo pensamentos enviados deliberadamente para o subconsciente na forma de metas, planos ou desejos e pensamentos aleatórios a que a pessoa cede sem um plano ou propósito específico.

Pensamentos aleatórios, descuidados e negativos ocupam a mente da maioria das pessoas, e tais pensamentos produzem circunstâncias indesejáveis, pois são captados pelo subconsciente e ativados.

O subconsciente não diferencia pensamentos negativos e positivos, mas aceita e age sobre um tipo tão rapidamente quanto sobre o outro.

Aqui está então o motivo por que a maioria das pessoas está na classificação de "fracassos". A maioria de seus pensamentos são sobre fracasso, e o subconsciente leva-os à conclusão lógica.

Uma vez que o subconsciente traduz em sua conclusão lógica todos os pensamentos que chegam a ele — sejam bons ou maus para o indivíduo — é claramente sugerido que a maneira de colocar o subconsciente a trabalhar de modo útil é dando a ele ordens definidas sobre o que se deseja.

Em se tratando de dar ordens ao subconsciente, existem algumas instruções que devem ser seguidas ao pé da letra:

1. Escreva uma declaração clara sobre o que deseja em que o subconsciente atue e estabeleça um período definido dentro do qual você quer a ação. Memorize essa declaração e a repita para si, em voz alta, centenas de vezes ao dia, especialmente antes de ir dormir.

2. Quando repetir sua declaração, acredite que o subconsciente agirá sobre ela e veja-se já de posse daquilo que consta em sua declaração. Encerre a declaração expressando gratidão por ter recebido o que pediu.

3. Antes de repetir sua declaração para o subconsciente, coloque-se em um estado intenso de entusiasmo emocional e alegria devido à sensação interior de que seu pedido será atendido. O subconsciente age quase que instantaneamente em pensamentos expressos em qualquer estado de emoção intensa, negativa ou positiva. Esta última frase é altamente significativa. Por favor, leia de novo e pense nisso.

Como condicionar a mente
para tratamento dentário

Chegamos agora às instruções detalhadas com que se pode condicionar a mente para tratamento dentário e, mediante leves mudanças na fórmula, condicionar a mente para enfrentar qualquer circunstância desagradável que se apresente, tal como uma cirurgia extensa, a perda de entes queridos por morte, etc. As instruções são as seguintes:

a) Prepare todo o corpo físico para a cirurgia com um jejum total de três a sete dias, que deve ser conduzido sob a supervisão de seu médico. Dois dias antes do início do jejum, não coma nada além de frutas frescas e beba apenas suco de frutas; também abstenha-se de cigarro e café. Você ficará um pouco nervoso durante esses dois dias, mas não deixe isso desanimá-lo. Ao final dos dois dias, comece o jejum e não ingira nada exceto água com duas ou três gotas de suco de limão em cada copo. Beba toda a água que puder — até 12 ou mais copos por dia.

Quando o jejum terminar, não coma nada no primeiro dia a não ser um prato de sopa de legumes sem gordura e uma fatia de pão integral ou torrada. No segundo dia, tome dois pratos de sopa de legumes com duas fatias de pão — um prato de manhã e outro à tarde. A partir do terceiro dia, você pode comer o que lhe apetecer, contanto que coma com moderação. É da maior importância que você volte a seus hábitos alimentares gradativamente. No geral, esse é o procedimento a seguir, mas todos os detalhes, incluindo o número de dias que você deve jejuar, devem ser cuidadosamente examinados por seu médico antes de você começar o jejum.

O propósito do jejum em termos físicos é dar a todo o seu corpo — estômago, órgãos digestivos, sistema de eliminação, corrente sanguínea — uma oportunidade de tirar férias. Em termos mentais, o propósito do jejum é mostrar que você é o senhor do seu estômago. Uma vez que tenha dominado o desejo por comida, você terá pouca ou nenhuma dificuldade para dominar o medo de dor física.

Um outro objetivo do jejum é condicionar sua mente para uma fácil comunicação com a mente subconsciente. Durante o jejum, seu subconsciente ficará muito sensível a todas influências ao redor, por isso cuidado com gente negativa e discussões sobre assuntos negativos.

b) A partir do primeiro dia de jejum, faça um tratamento por autossugestão, repetindo a seguinte instrução para seu subconsciente pelo menos uma vez a cada hora, exceto quando estiver dormindo, durante todo o jejum:

1. Tenho total confiança em _____, meu dentista, em sua capacidade, seu caráter e experiência em odontologia.

2. Enquanto meu tratamento dentário estiver sendo executado por meu dentista, dissociarei minha mente disso por completo, mantendo-a na coisa que mais desejo na vida, que é _____.

3. Desejo que meu tratamento dentário seja feito porque somará à minha aparência pessoal e irá melhorar minha saúde física; como desejo isso, vou me submeter à operação como uma oportunidade bem-vinda de provar a mim mesmo que minha mente é mais forte do que a emoção do medo.

4. Por meio desta, direciono meu subconsciente para que assuma o controle de meu desejo conforme o expressei e o execute nos mínimos detalhes, com isso fazendo de minha experiência dentária um interlúdio magnífico. Por meio dessa experiência, farei descobertas relativas aos poderes

de minha mente, com os quais guiarei todo o meu futuro,
a fim de obter mais alegria da vida

Essas instruções são simples e compreensíveis, mas vão apresentar um novo estilo de vida que pode suavizar o caminho em todas as suas futuras experiências e relações humanas, bem como conduzi-lo pela cirurgia dentária sem o menor incômodo.

Nessas instruções, apresentei a condição mais favorável em que você pode dar diretrizes ao subconsciente — durante um jejum. Nesta condição, seu subconsciente estará muito alerta e dócil a qualquer influência que você dirija a ele ou a qualquer influência que possa chegar a ele por sua negligência em manter-se longe de influências negativas.

Vamos agora a umas poucas palavras sobre o tema do jejum. Aqui estão alguns benefícios disponíveis pelo hábito de jejuar, muito além do fato de que jejuar é um excelente método de preparar o subconsciente para receber e executar suas diretrizes:

a) O jejum, que deve ser executado pelo menos uma ou das vezes por ano, tonifica todo o corpo físico e ajuda a aumentar a resistência do organismo à doença.

b) Jejuar proporciona uma oportunidade para se quebrar facilmente os hábitos de fumar e tomar café e bebidas alcoólicas. Se você tem por hábito fumar ou beber álcool, terá que readquirir o hábito depois de fazer o jejum, caso deseje voltar a fumar ou beber.

c) Jejuar propicia um relacionamento muito íntimo com os poderes espirituais pessoais, sendo este o principal motivo para as diretrizes dadas ao subconsciente durante um jejum serem tão efetivas e atuarem tão rapidamente.

d) O jejum é um hábito excelente para a maioria das pessoas neuróticas e melancólicas que sofrem enfermidades imaginárias, desde que executado sempre sob a supervisão de um médico de boa reputação.

Jejum não é brincadeira e jamais deve ser feito por ninguém a não ser por ordem médica. Os médicos de algumas escolas terapêuticas usam o jejum com sucesso na cura de muitas enfermidades físicas.

e) Jejuar não será difícil para quem seguir as instruções que dei aqui e mantiver a mente ativamente ocupada durante o jejum, fornecendo diretrizes para o subconsciente. Um dos principais motivos para o hábito do jejum é que escancara o portal para o subconsciente, e com isso pode-se dar qualquer instrução desejada ao subconsciente.

Se você nunca fez um jejum voluntário, terá um grande prazer quando experimentar pela primeira vez. Talvez você fique um pouco nervoso nos dois primeiros dias, especialmente se bebe álcool ou café, mas dali em diante terá uma experiência inédita. Reconhecer que dominou o apetite por comida dará uma base sólida de onde você pode e talvez vá desenvolver o domínio sobre muitas outras coisas, tais como pobreza, fracasso, derrota e medo de todos os tipos.

Não é uma promessa digna do esforço de jejuar?

f) Enquanto estiver de jejum você vai experimentar a recordação de coisas que aconteceram quando era criancinha e uma sensação de autoconfiança que talvez nunca tenha sentido antes.

Há alguns anos, quando eu era sócio de Bernarr Macfadden, tive um surto de gripe. Depois que o surto pareceu ter passado, tive curtas recidivas mais brandas, mais ou menos a cada duas semanas. Ao falar disso com Macfadden, ele disse: "Por que não faz um jejum e mata esse bicho da gripe de fome? Por que continuar a alimentá-lo?".

Ele então me deu instruções para o jejum. Jejuei por sete dias, sob as mesmas instruções que dei aqui, com o resultado de que a gripe foi completamente eliminada; mais importante ainda, com a experiência aprendi um sistema de condicionamento físico que sigo desde então — um sistema que me deu imunidade contra o resfriado comum e a gripe.

Minha esposa e eu jejuamos juntos pelo menos uma vez por ano. Fazemos desse hábito uma espécie de jogo agradável e passamos sem inconveniência ou desconforto. Duas ou mais pessoas jejuando juntas, em atitude mental agradável, experimentam benefícios ainda maiores do que uma passando pela experiência sozinha.

Na preparação para tratamento dentário ou cirurgia, o jejum deve ser concluído pelo menos duas semanas antes do início do procedimento. Enquanto isso, após o término do jejum, o médico deve examinar todo o seu organismo e se certificar de que os exames de sangue e urina e os testes cardíacos estejam satisfatórios. Em alguns casos, após uma experiência de jejum, a dieta pode necessitar de suplementos alimentares na forma de vitaminas, mas esses devem ser prescritos por seu médico e não comprados por ideia sua. Muitas vezes acontece que, após a extração dos dentes, especialmente quando há indicação de dentadura completa, as gengivas não cicatrizam satisfatoriamente, e o dentista considera necessário prescrever suplementos vitamínicos.

Outra sugestão a respeito do jejum: não pratique quaisquer atividades físicas pesadas durante o jejum. Tarefas domésticas e trabalho leve podem ser realizados sem interrupção, mas o excesso de esforço de qualquer natureza deve ser evitado.

Existem muitos bons livros sobre jejum — uma lista deles está disponível em todas as bibliotecas públicas. Um dos melhores que posso recomendar é *How to Fast* (Como jejuar), de Bernarr Macfadden.

Macfadden condicionou sua mente tão completamente para o domínio da dor física por meio do jejum há alguns anos que sentou-se na cadeira do dentista e teve os dentes extraídos sem o auxílio de qualquer tipo de anestésico. Embora isso mostre que a dor pode ser dominada pelo controle mental, pessoalmente acredito na anestesia quando se trata de uma cirurgia importante ou extração de dentes.

O procedimento que descrevi aqui pode ser aplicado para o domínio da pobreza e a obtenção de riqueza ou prosperidade financeira, assim como para o condicionamento mental para cirurgia dentária. Só é preciso mudar a declaração de propósito para se adequar a qualquer objetivo desejado.

Não existem limitações para o poder da mente, exceto aquelas que o indivíduo estabelece para si mesmo ou permite que sejam estabelecidas por influências externas.

De fato, o que quer que a mente possa *conceber* e *acreditar*, a mente pode *alcançar*!

Estude bem as três palavras-chave da frase anterior, pois sintetizam a totalidade e a substância deste capítulo.

Seu sucesso na aplicação da fórmula de condicionamento mental apresentada neste capítulo vai depender em larga medida da atitude mental com que você a aplicar. Se acreditar que obterá resultados satisfatórios, você obterá.

Ao fornecer diretrizes para sua mente subconsciente mediante a declaração preparada com esse objetivo, você pode acelerar o sucesso repetindo a declaração como uma prece, colocando assim todo o poder de sua crença religiosa no apoio de sua declaração.

A palavra "crença" simboliza um poder que não tem limitações dentro da razão, e podemos encontrar evidência de sua influência sempre que vemos pessoas que alcançaram sucesso digno de nota em qualquer vocação.

Thomas Edison acreditava que poderia aperfeiçoar uma lâmpada elétrica incandescente, e essa crença conduziu-o com sucesso por dez mil fracassos antes de ele obter a resposta que procurava.

Marconi acreditava que o éter podia carregar vibrações do som sem o uso de fios, e essa crença conduziu-o por muitos fracassos, até ele finalmente ser recompensado com o triunfo e dar ao mundo o primeiro meio de comunicação sem fio.

Colombo acreditava que poderia encontrar terra em uma parte não mapeada do oceano Atlântico e navegou até encontrar, a despeito da ameaça de motim de marinheiros que não eram tão abençoados quanto ele com a capacidade da crença.

Madame Ernestine Schumann-Heink acreditava que poderia ser uma grande cantora de ópera, embora o professor de canto a tivesse aconselhado a voltar para a máquina de costura e se contentar em ser costureira. Sua crença foi recompensada com o sucesso.

Hellen Keller acreditava que poderia aprender a falar a despeito da perda da fala, visão e audição, e sua crença restaurou a fala e aju-dou-a a se tornar um exemplo brilhante de encorajamento para todas as pessoas tentadas a desistir em desespero por causa de alguma doença ou deformidade.

Henry Ford acreditava que poderia construir um veículo peque-no sem cavalo, que proporcionaria um transporte rápido e de baixo custo e, a despeito do brado generalizado de "doido" e do ceticismo do mundo, ele circundou a terra com o produto de sua crença e ficou imensamente rico.

Madame Marie Curie acreditava que o metal rádio existia e incumbiu-se da tarefa de encontrar sua fonte, a despeito de ninguém jamais ter visto o rádio e ninguém saber onde começar a procurar por ele. A crença dela finalmente revelou a fonte do precioso metal.

Quando meu filho nasceu sem orelhas e fui informado pelo médico que o trouxe ao mundo que ele seria surdo a vida inteira, acreditei que eu tinha o poder de influenciar a natureza a improvisar um sistema auditivo para ele. Então trabalhei com a mente subconsciente de meu filho e fui recompensado quando 65% de sua audição natural foi recuperada.

E, quando chegou a hora de ter todos os meus dentes extraídos para colocar dentaduras, eu acreditei — não, eu sabia — que passaria pela operação sem o menor desconforto. Eu sabia porque vezes sem conta tinha visto a mente humana dominar a dor física e todas as outras circunstâncias desagradáveis com que as pessoas deparam de tempos em tempos. Eu sabia porque aprendi com a experiência que minha capacidade de crença podia remover todos os obstáculos que surgissem em meu caminho e deixar de lado todas as minhas limitações autoimpostas.

A mais profunda verdade conhecida pelo homem é que apenas o homem recebeu o privilégio inexorável de controlar e dirigir sua mente para quaisquer finalidades de sua escolha. Todas as outras criaturas nascem limitadas por um padrão de "instinto" que não podem mudar e além do qual não podem agir. A prerrogativa distintiva sugere que seja essa a chave para o controle do homem de seu destino neste mundo, e sabemos que negligência ou fracasso em fazer uso dessa prerrogativa traz punição definida na forma de miséria, pobreza, fracasso, derrota, enfermidade, desespero e outros estados mentais negativos. Também sabemos que a aceitação e uso dessa imensa prerrogativa dá ao homem a chave para o seu próprio destino.

Aqui está então o milagre supremo — o poder de tomar posse da própria mente e dirigi-la com sucesso para quaisquer finalidades escolhidas.

E outro milagre de importância apenas levemente menor consiste no fato de que, junto com a grande dádiva do direito do homem de tomar posse de sua mente, foi fornecida a fonte de poder que torna tal dádiva ilimitada nas realizações do homem. Esse milagre secundário é a mente subconsciente, com a qual o homem pode contatar e aproveitar os poderes universais da Inteligência Infinita.

O método para se contatar a Inteligência Infinita por meio da mente subconsciente é simples: consiste na repetição de um pensamento, desejo ou objetivo, trazendo-o à mente consciente com frequência e expressando-o em voz alta, em estado de grande emoção, capacitando assim o subconsciente a agir a respeito de modo inteligente. A mente subconsciente não agirá a respeito de nenhuma ideia, plano ou objetivo que não seja claramente expresso.

Na frase anterior você tem uma pista do principal motivo por que tanta gente fracassa em obter resultados satisfatórios da mente subconsciente. E também do principal motivo por que a maioria das pessoas são fracassadas em vez de bem-sucedidas.

Quando der diretrizes à sua mente subconsciente, seja preciso, afirme claramente seus desejos e você não ficará decepcionado, contanto que coloque emoção em suas diretrizes com a firme crença de que elas serão levadas a cabo. Com esse procedimento, o poder que opera o universo estará à sua disposição!

THE NAPOLEON HILL FOUNDATION
What the mind can conceive and believe, the mind can achieve

A instituição MasterMind tem sua marca registrada na língua portuguesa e é a única autorizada e credenciada pela The Napoleon Hill Foundation (EUA) a usar seu selo oficial, sua metodologia em cursos, palestras, seminários e treinamentos que são altamente recomendáveis.

Mais informações: www.mastermind.com.br